LA VERDAD RESUCITADA

¿Novela?

Gabriel Castro

LA VERDAD RESUCITADA
¿Novela?

BIBLIOTECA NUEVA

Cubierta: A. Imbert

© El autor, 2006
© Editorial Biblioteca Nueva, S. L., Madrid, 2006
  Almagro, 38 - 28010 Madrid (España)
  www.bibliotecanueva.es

ISBN: 84-9742-543-X
Depósito Legal: M-15.251-2006

Impreso en Top Printer Plus
Impreso en España - *Printed in Spain*

Índice

PARTE I: ESPAÑA 11

CAPÍTULO I. Alcoy 13
CAPÍTULO II. Madrid 21
CAPÍTULO III. Una fecha 30
CAPÍTULO IV. Guerra Civil 37
CAPÍTULO V. El Cantor de Madrid 46
CAPÍTULO VI. En retirada 55

PARTE II: LA PARTIDA 65

CAPÍTULO VII. Ella 67
CAPÍTULO VIII. Levante 75
CAPÍTULO IX. El adiós 82

PARTE III: EL EXILIO 91

CAPÍTULO X. Francia 93
CAPÍTULO XI. República Dominicana 102

Capítulo XII. Méjico 111
Capítulo XIII. Albert Casse 123
Capítulo XIV. Las Coplas de Panadera 131
Capítulo XV. Pedro Mendizábal 142
Capítulo XVI. Sudamérica 151
Capítulo XVII. Recuerdos 159
Capítulo XVIII. Final 167

Apéndice. Canciones de Gabriel Castro 177

Murió la verdad. ¿Resucitará?

F. DE GOYA: *Los desastres de la guerra*

PARTE I

ESPAÑA

Capítulo I

ALCOY

Un atardecer de verano de mediados de los años 60 coincidieron ante el mostrador de un hotel en Alcoy dos hombres de edades alrededor de la sesentena.

No tardó en aparecer el recepcionista que les dedicó una muda interrogación. Uno de ellos indicó al otro:

—El señor ha llegado antes.

—Tengo reservada una habitación a nombre de Gabriel Castro.

El primero le miró con gesto de sorpresa pero no hizo ningún comentario. El recepcionista buscaba en el libro de registro:

—Sí; aquí está: la seiscientos diez ¿Y usted, señor?

—También he reservado una habitación.

—¿Su nombre?

—Gabriel Castro.

Ahora fue el otro quien volvió la cabeza para mirarle; intercambiaron unas leves sonrisas.

El recepcionista revisó el libro una y otra vez:

—Pues a nombre de Gabriel Castro no tengo más que una reserva. Y lo malo es que no quedan habitaciones libres en el hotel. Como está la Feria... ¿Cuándo avisaron ustedes?

—Hace una semana.

—Anteayer.

—¿Quién les tomó nota?

—Una señorita.

—Ya; Marta. Debió pensar que se trataba de la misma persona y apuntó solamente una habitación.

—Pues que salga Marta, a ver qué explicación da.

—Está de permiso; ha ido de azafata a la Feria. Ustedes verán lo que hacen.

—No; son ustedes quienes tienen que resolverlo; el error ha sido de ustedes. Que salga el gerente o el dueño o quien sea.

—Un momento.

El recepcionista pasó al interior.

—Se necesita estar en babia la recepcionista.

—Estas niñas bitongas con llevar falda corta y pelo largo ya creen que cumplen.

Pasaron unos minutos.

—Bueno; quédese usted con la habitación; usted ha llegado primero.

—Pero usted la reservó antes.

Uno de ellos tamborileaba impaciente en el mostrador.

—También es casualidad. Yo es la primera vez que encuentro a alguien con mi mismo nombre. Y no es tan raro el nuestro.

—A mí me ocurre lo mismo; aunque en realidad yo he conocido otro Gabriel Castro pero fue en mi infancia.

—Sí, y ahora que caigo, yo también, de niño en un pueblo de Huesca.

El otro le miró fijamente:

—No sería Castillo de Aurín.

La cara de su interlocutor reflejó el mayor estupor.

—No me digas que tú eres Gabrielito, el de «Los Enebros».

—Entonces tú eres Gabriel...

[14]

Se quedó cortado pero el otro completó la frase:

—... el hijo del peón caminero.

Cuando volvió el encargado vio con sorpresa a los recién llegados estrechándose efusivamente las manos. Esperó a que se volvieran hacia él:

—Lamento mucho lo ocurrido, señores. El hotel está completo pero aún no han llegado todos los viajeros y las reservas se mantienen solamente hasta las nueve. Si hubiera algún falto cuenten ustedes con que serán los primeros.

—Qué le vamos a hacer; quédate con la habitación.

—De ninguna manera; quédate tú.

—Hagamos una cosa: que suban las maletas, nos duchamos y quedamos luego aquí.

Media hora después se reunieron en el vestíbulo.

—¿Nos sentamos?

Se acomodaron en unos sillones.

—Vamos a tomar algo ¿Habías estado antes en Alcoy? Entonces no conoces el licor café; es una especialidad de aquí. Yo lo tomo con zarzaparrilla y sifón. Resulta un refresco muy agradable.

—Venga el licor café.

—También podemos dejar encargada la cena. El arroz hay que pedirlo con tiempo ¿Te parece bien?

—Me entusiasma la paella.

—¿Y el arroz abanda?

—Eso suena a música. Muy propio de esta tierra.

—Abanda quiere decir aparte. Te sirven por un lado el arroz y por otro el pescado. Pruébalo, ya verás.

Al terminar los refrescos encargaron la cena.

—Apetece estirar las piernas. Yo he estado todo el día conduciendo. ¿Damos un paseo?

Salieron del hotel y cruzaron el puente de San Jorge sobre el río Serpis.

—Este puente tiene las juntas tan acusadas que cuando lo pasas en coche crees que has pinchado.

Llegaron a la Plaza de España.

—Una plaza en pendiente produce una sensación inquietante, como de desequilibrio. Es una plaza para pasar, no para estar.

Subieron por San Nicolás hasta los jardines de Primo de Rivera.

En el crepúsculo se notaba todavía una pesada atmósfera y en la arboleda hacía algo de fresco. Se sentaron en un banco.

—¡Quién me había de decir que encontraría aquí a mi tocayo Gabriel Castro! ¿Cuánto tiempo hace que no nos veíamos?

—Pues verás: yo tenía trece años cuando me fui de Aurín. Nací el doce, así que medio siglo más o menos.

—¡Qué barbaridad! ¿Y cómo fue el irte?

—Al morir mi padre tuvimos que dejar la casilla de peones camineros. A mi madre le pagaron una indemnización, una miseria y la pensión de viuda tampoco le daba para sacar adelante a cuatro chavales siendo yo el mayor. Así que decidió irse a Madrid donde teníamos familia; por lo menos casa no había de faltarnos, Y salimos adelante gracias a tu abuelo que le dio un dinero con el cual puso una tiendecita.

—No lo sabía.

—No me extraña. Don Rodrigo era hombre que lo que daba su mano derecha lo ignoraba la izquierda. Una gran persona y un gran señor. Y fíjate que no tenía por qué darle ese dinero; ni mi madre era empleada suya ni nada. Pero él era así. Y, por cierto, la gente, que es muy mala, empezó a decir unas cosas que... bueno, según eso yo sería tío tuyo.

—Hay mujeres a quienes habría que cortarles la lengua.

—Yo he lamentado esas murmuraciones casi más por tu abuelo que por mi madre. ¡Pensar que la gente interpretara aquel acto generoso como una villanía!

—Mi abuelo tenía fama de hombre duro porque era muy estricto con los obreros y eso le procuraría enemigos. Pero luego tenía detalles como ese. El obrero que trabajaba podía contar con él para todo, y al que no, le ponía de patitas en la calle sin más miramientos.

—¿Seguís teniendo la fábrica? ¿Funciona todavía?

—Está hecha una ruina. Hasta morir el abuelo marchó siempre viento en popa; con mi padre fue otra cosa. A él no le gustaba vivir en Castillo; nos fuimos a Zaragoza y ya se sabe: el ojo del amo... Con la República fue de mal en peor y al estallar la guerra hubo que cerrarla, Yo intenté ponerla en marcha después pero había que invertir mucho dinero en renovar la maquinaria y no conseguí créditos. De manera que sigue cerrada.

—El edificio era muy bonito.

—El abuelo encargó el proyecto a un arquitecto de Madrid: Rodríguez Ayuso. En aquel tiempo la palabra funcional no era el pretexto para que la rentabilidad fuera el único fin de la arquitectura como acabaría ocurriendo. Mi abuelo quería un edificio representativo, muy digno, y no escatimó gastos. Rodríguez Ayuso pudo lucirse.

Caía la tarde sobre los dos viejos amigos evocando sus recuerdos.

—Tú y yo éramos muy amigos. Yo te admiraba porque eras mayor y además muy valiente.

—También yo te cogí mucho afecto aquella vez que la pandilla hicimos no sé qué tracamundana y nos cogió la Guardia Civil; al enterarse de quien eras te dijo el cabo: «Tú puedes irte.» Y le contestaste: «No; si van a castigar a mis compañeros que me castiguen a mí también.» «Chaval: lárgate», insistió el cabo, «Yo me quedo con mis amigos». El cabo te miró unos instantes y luego dijo: «Pues ¡Hala! Marchaos todos ¡Pero la próxima vez...!». Tuviste buenos arrestos; aquello me gustó.

—En casa no querían que fuera amigo tuyo porque tenías fama de muy travieso.

—Y tal vez porque fuera hijo de un peón caminero.

—Esa era mi madre. Ella era hija de un oficial fontanero y al casarse con mi padre se volvió muy clasista. Pero mi abuelo no pensaba así. Oí decir que una vez te encaraste con el cura del pueblo ¡un chaval de trece años! Y que mi abuelo te defendió ¿Cómo fue aquello?

—Me acuerdo muy bien. Iban tu abuelo y el cura paseando y oyeron a un carretero soltar una blasfemia. El cura se puso hecho una fiera y comenzó a insultarle. Estaban frente a una casona donde había un blasón con la leyenda: «Antes que Dios, la casa de Quirós», y yo le dije al cura que porqué no se metía con los de aquella casa; que si eso no era también una blasfemia, El cura fue a darme una bofetada y tu abuelo le sujetó el brazo. Una cosa más que debo agradecerle a don Rodrigo.

—Yo recuerdo que tú eras el jefe de la pandilla y que nos dedicábamos a hacer perrerías. Las hicimos buenas. Me acuerdo de una vez que iban paseando tres seminaristas por la carretera y al pasar junto a unas colmenas, nosotros, emboscados tras unos matorrales, la emprendimos a pedradas con ellas ¡Y cómo salieron las abejas! Era cosa de ver a los curillas corriendo alocados y pegando manotazos al aire.

—Pues tampoco estuvo mal la que le gastamos a don Daniel; no sé si lo recuerdas. Había tres automóviles en Aurín: uno de tu padre, otro el de los Quirós y otro el suyo. Y el hombre tenía a gala mantenerlo siempre sucísimo. Una noche se lo lavamos los de la panda dejándolo resplandeciente como nuevo. Al día siguiente fue don Daniel por todas partes, la barbería, el casino, la fonda, burlándose en plan fanfarrón de los bobalicones que le habían lavado el auto. Y, claro, al otro día amaneció rebozado en mierda.

—Eso me recuerda lo que llamábamos «cazar tordos con liga».

—Ya; untar con mierda el picaporte de la iglesia.

—Lo gracioso del caso fue que el párroco arremetió desde el púlpito, no contra los autores del unto sino contra los fieles que se habían enjuagado las manos en la pila del agua bendita.

Rieron de buena gana evocando el episodio.

—Oye, vámonos que ya pronto estará la cena.

Volvieron al hotel dando una vuelta por el barrio antiguo de las industrias decimonónicas. Frente al nuevo edificio de la Compañía Telefónica comentó el hijo del peón caminero:

—Este edificio me recuerda a tu fábrica.

—Sí; es de ese estilo aunque bastante más sobrio. Además éste es casi un siglo posterior.

—¿Sigue existiendo?

—Pero en ruinas. Yo traté de conseguir una declaración de edificio de interés histórico-artístico para obtener una subvención y restaurarlo o por lo menos conservarlo. Hubiera podido utilizarse como centro cultural o ¡Qué sé yo! El caso es que recorrí varias administraciones y recurrí a diversos organismos, porque yo no disponía de medios para recuperar el edificio a mis expensas, y fue inútil. La cultura en España está en manos de políticos que es lo mismo que decir a los pies de incultos; van a lo suyo, que es mantenerse en sus sillones, si no es trepar a otros más altos, y todo lo que hacen va encaminado a esa finalidad. El arte ni les gusta ni lo entienden ni hacen nada por entenderlo. Aunque sólo fuera por desempeñar sus cargos con propiedad.

—Yo también sé algo de eso.

Al pasar junto a la recepción el empleado hizo un gesto negativo:

—Todo lleno.

—Está bien; vamos a cenar y después resolveremos.

En el comedor una amplia cristalera ofrecía una magnífica vista de la ciudad en penumbra y tachonada de luces en las casas y en las calles. Degustaron un arroz excelente. Una copita de delicioso limón granizado fue el complemento.

—¿Así que no conocías el arroz abanda ni el licor café? No te veo muy enterado de las cosas de España; por lo menos de las de esta región.

—No te extrañe; he pasado más de treinta años fuera, en el exilio. Yo estuve con los republicanos.

—Pues yo con los nacionales; menos mal que no nos encontramos en el frente.

—No sé tú, pero yo permanecí en la retaguardia. Era periodista y cuando quise alistarme en la milicia me dijo un comandante que defendería mejor a la República con la pluma que con el mosquetón.

—Yo sí estuve en primera línea y me quedó este recuerdo.

Y el Castro nacionalista mostró una cicatriz en el brazo. Salieron del comedor.

—Bueno; ocupa tú la habitación; yo no tengo sueño.

—Yo tampoco; y tenemos muchas cosas que contarnos.

Pidieron otros dos refrescos de café y se acomodaron en unos sillones del salón.

—Empieza tú, Gabriel. En el exilio te habrán ocurrido cosas más interesantes que a mí, que no me he movido de España.

—Conforme; pero luego me contarás tu vida.

—De acuerdo.

Capítulo II

MADRID

El camarero alcoyano interrumpió la conversación de los dos castros:

—Voy a cerrar el bar. ¿Van a pagar ustedes la consumición?

—Cárguela a la 610 y antes tráiganos una botella de licor café y un cubilete de hielo.

—Pues como estaba diciéndote, nos mudamos a Madrid recién estrenada la dictadura de Primo de Rivera. Mi madre abrió una modesta abacería; a mí me puso de aprendiz con un tío mío carpintero, y mi hermana Flora, que era un año menor, le ayudaba en la tienda. Los otros chavales eran todavía muy críos para trabajar. Pero la carpintería no colmaba mis ambiciones. Fui a una escuela nocturna y conseguí una beca. Estudié con el mayor ahínco, en libros que me prestaban mis compañeros porque en casa no había dinero para comprarlos; demasiado hacía mi madre con darme para cuadernos y plumas. En un año aprobé los tres primeros cursos de bachillerato pero, al año siguiente, el cura que nos daba clase de religión se enteró de que yo no iba a misa y me suspendió. Perdí la beca a pesar de que en las otras asignaturas había sacado sobresalientes y notables y no pude terminar el bachillerato ni cursar una carrera. Pero seguí estudiando por mi cuenta aunque desordenadamente y sin método. Devoraba todo libro que caía en mis manos. No me interesaban las novelas sino los libros de historia, ciencias... Todavía no se habían despertado mis inquietudes políticas ni el ambiente de la dictadura era muy propicio para despertarlas.

En aquel tiempo mi madre hizo amistad con un músico ambulante y con él aprendí los rudimentos de la guitarra. Era un buen hombre que nos cogió cariño a los hermanos y se portó siempre muy bien con nosotros. Al estallar la guerra, un lechero al que había sacudido una buena felpa el día que aquel tipejo intentó abusar de Florita, se vengó tachándole de fascista y le dieron el paseo. Muchas denuncias de aquella época eran simples ajustes de cuentas y los milicianos no se preocupaban por comprobar la veracidad de las acusaciones. Luego, cuando entrasteis vosotros en Madrid se volvió la oración por pasiva; alguien denunció al lechero y le fusilasteis.

—Menos mal que hicimos algo bueno.

—¿Así piensas tú?

—¡Tantas cosas podría contarte...! Mira, Gabriel: en el Mundo no hay buenos y malos; si acaso malos y peores. Yo no sé si nosotros fuimos los peores; en todo caso tampoco fuimos buenos. En realidad éramos tal para cual los dos bandos: Si nosotros bombardeamos Guernica, vosotros arrasasteis Belchite; si vosotros fusilasteis a José Antonio, nosotros fusilamos a Companys; si vosotros asesinasteis en Paracuellos, nosotros masacramos en Badajoz; si nosotros matamos a Lorca, vosotros a Maeztu... Pensar otra cosa sería maniqueísmo fanático porque, como decía Antonio Machado, tomar partido es no sólo renunciar a las razones de vuestros adversarios sino también a las vuestras. Pero... sigue contando.

—Sí; creo que yo puedo confirmar lo que dices. Llegó el 14 de abril y Alfonso XIII, que había dado el beneplácito al golpe de estado de Primo de Rivera traicionando su juramento a la Constitución al estilo, al mal estilo, de su felón antepasado Fernando VII, pensando que así podría seguir en el trono (de entonces debe datar la frase «ser más agarrado que un borbón a la corona») se despidió con una última bravata diciendo que no quería ser motivo de una guerra fratricida entre sus súbditos; como si estuvieran dispuestos a derramar una gota de sangre por él los militares, que estaban escarmentados por su traición a Primo de Rivera; la Guardia Civil, que dirigía un militar; los carlistas, que querían otro rey; o los falangistas, que no querían ninguno, o el clero, que no mueve un dedo por nadie.

Se fue en buena hora aquel rey vividor, chulesco y artero y, tú lo recordarás, la gente acogió la República con entusiasmo desbordado; y yo entre ellos. Pronto se vería que a «La Niña Bonita» no se la quería como finalidad sino como tránsito, cada cual hacia el gobierno o desgobierno a que aspiraba su ideología. La Derecha, en particular la Iglesia, veía en peligro sus privilegios; la quema de iglesias fue quizá una maniobra suya para concienciar la opinión pública a favor de una violencia que surgiría más tarde propiciada por ellos mismos. En un principio los ataques a la iglesia fueron más burlones que agresivos; recuerdo haber visto en una sala de un convento abandonado una inscripción que decía: «Hermana: una de dos; o callar o hablar de Dios» a la que un guasón había apostillado: «Sin blasfemar, se entiende.» Y la presunta agresividad se limitó a cuatro iglesias chamuscadas en los primeros días de la República; vaya usted a saber por quién.

Pues bien; sugestionado por el ambiente intenté leer *El Capital.* No lo entendí; solamente la letra pequeña, las notas donde Marx cita casos sobre la existencia infrahumana que arrastraban los trabajadores en Gran Bretaña. Aquello me impresionó. Leí también a Bakunin y otros teóricos de izquierdas con el resultado de formarme tal caos mental que ya no sabía si quería ser socialista, comunista o anarquista.

En éstas murió mi tío que me dejaba en herencia la carpintería con la condición de casarme con su hija que era, fea, gruñona y bastante mayor que yo. Renuncié contra los deseos de mi madre que veía asegurado mi porvenir con esa boda mientras que, de no aceptar, me quedaría en la calle. Pero mi padrastro, si puedo llamar así al músico ambulante, me dio la razón: «Has hecho bien, muchacho ¡Menudo petardo tu prima!» Ahora bien; como mi madre seguía dándome la matraca con el matrimonio me fui de casa para no oírla. Mi padrastro me consiguió un trabajo de mozo en un periódico y así entré en el mundillo de la prensa. Cuando la intentona de Sanjurjo se me ocurrió escribir un comentario y tuve el desparpajo de enseñárselo al director. Para mi sorpresa, tan bien le pareció que lo publicó como editorial, de modo que a mis veinte años (yo me echaba alguno más) me encontré convertido en corresponsal de prensa: todo un triunfo. Dejé la cochambrosa pensión en que vivía y alquilé un pisito. Una buena mujer de la vecindad me asistía en las faenas domésticas tres días por semana y yo trabajaba en aquello para lo que tenía vocación, de manera que me sentí plenamente realizado. Pero la felicidad es el preludio de la tragedia. A poco de estallar la guerra mis dos hermanitos chicos se encontraron con una bomba de mano y se pusieron a jugar con ella.

—Siempre pagan las culpas los inocentes.

—Decidí volverme con mi madre y mi hermana para acompañarlas en ese trance pero no hubo lugar; mi madre murió a los pocos días, pienso que del disgusto, y en cuanto a mi hermana se hallaba en estado y se fue a vivir con su compañero.

Pero he corrido las fechas. Esto último ocurrió, como te decía, una vez declarada a guerra. Volviendo atrás, la República puso todo patas arriba. Y, sorprendentemente fue un periódico anarquista, «Nosotros», quien tuvo el valor de denunciarlo en un suelto criticando la grosería que según decía andaba a palos con la educación y se había extendido por todas partes. No sé

chaos

en otros lugares pero Madrid era un desmadre: La palabra robar estaba prohibida de hecho; su empleo podía ocasionarle a uno la acusación de fascista. Había que utilizar seudónimos eufemísticos: requisar, incautar, confiscar, decomisar... Una mañana bajé a darle un recado a la portera dejando abierta la puerta del piso; me entretuve más de la cuenta y cuando subí me encontré con una mujeruca que salía de mi casa llevándose la colcha de mi cama:

—Pero, bueno. ¿Qué es esto?

—Ahora todo es de todos —me contestó tranquilamente.

—Pues una hostia va a ser suya como no deje usted eso inmediatamente donde lo ha cogido.

Me llamó fascista, como era lo obligado, y se armó una batahola en la que asomaron varios vecinos. Sólo cuando uno le dijo que yo era de los que escribían en los papeles se conformó y se fue dejando la colcha. Y es que la República y sobre todo la guerra introdujeron un caos. La plebe asaltó las cárceles y dejó en libertad a los presos sin distinción de políticos y comunes; figúrate lo que saldría a la calle. Incluso, según me contaron, quisieron dejar en libertad a los alienados de Ciempozuelos, pero éstos, con muy buen criterio, rehusaron abandonar el manicomio. Hasta los locos demostraron tener más juicio que las turbas. Y no sólo las turbas: el Ministerio de Defensa publicó un bando referente a la incorporación a filas de los que hubieran cumplido diecinueve años en 1937 conminando a sus padres a solicitar la incorporación y ¡agárrate! a los directores de manicomios para alistar a los alienados. *(mentally ill)*

—El fanatismo de izquierdas es como el de derechas. Recuerdo que en mi infancia estaba yo un día comiendo un bocadillo de jamón y una vecina le increpó a mi madre: «¿Cómo le da usted carne al niño en viernes? —El Papa lo ha autorizado— ¡Qué sabrá el Papa!» Por cierto, mi abuelo decía de aquella vieja que era tan modesta que solamente confesaba los pecados de las demás.

—De derechas o de izquierdas, la plebe es así.

—Y no sólo la plebe, Gabriel. Voy a contarte un caso del que fui testigo. Estando yo una tarde en la Carrera de San Jerónimo vi a Sánchez Albornoz que salía en solitario del Congreso: «—¿Ha terminado ya la sesión, don Claudio?» «—No; pero ahí dentro están discutiendo sobre el divorcio y como el tema no me interesa porque yo me llevo muy bien con mi mujer pues me voy.»

Me quedé estupefacto. Claudio Sánchez Albornoz estaba allí como diputado por Toledo y entre los electores que le habían votado para que les representara en sus problemas habría muchos para quienes el divorcio sería una cuestión candente. Pero eso a Sánchez Albornoz le tenía sin cuidado; él se llevaba bien con su mujer, el problema no le afectaba, y ni le pasaba por la imaginación el que pudiera afectarles a los electores que habían depositado su confianza en él. Por lo visto consideraba que su misión consistía en afrontar exclusivamente sus asuntos personales y pasaba olímpicamente de los de su comunidad. ¡Qué vergüenza! Y, ya ves: a Sánchez Albornoz nos le han retratado siempre como paradigma de político probo, honrado, respetado tanto por las derechas como por las izquierdas. ¡Cómo serán los demás!

—Como Madariaga; otro que tal pero en diferente estilo ¿Has leído su libro *España*? Pues está plagado de expresiones tales como «Todos saben que yo soy un republicano de corazón pero reconozco que Alfonso XIII fue un gran rey, etc.». Es el típico jugar a dos barajas. Si pinta República se apela a la primera parte de la frase y, si Monarquía, a la segunda. Al estallar la guerra Madariaga se escabulló a Inglaterra, donde se dedicó a dar clases de español para evitar pronunciarse por uno u otro bando, obviamente esperando a ver de qué lado se inclinaba la balanza para arrimarse al sol más caliente. Acabó la Guerra Civil con la victoria de Franco pero enseguida empezó la Guerra Mundial que ponía en entredicho esa victoria, y Madariaga siguió esperando. Al final de la guerra cayó en el espejismo de tantos exiliados pensando que los aliados destituirían a Franco y, considerando que su prolongado silencio acabaría perjudicándole se apresuró a publicar su folletón «General, márchese usted». También fue mala suerte; nueve años pendiente de quien fuera a salir vencedor para precipitarse al final echándolo todo a rodar. Porque ese panfleto le costó a Madariaga no poder volver a España.

—Aquí han gobernado unas veces las polainas y otras las plumas, y resulta profundamente desolador el que las polainas hayan sido más eficaces ¿Cuándo ha tenido España un gobierno con un elenco de intelectuales comparable al de la segunda República? Y... ¡Qué desastre!

—Bueno; no tan intelectuales. Piensa, por ejemplo, en Fernando de los Ríos: un fatuo, exhibiendo siempre un gesto de arrogancia, que no era sino un asno sesudo que metió la pata bastantes veces.

—Alguien dijo que los hombres públicos serán los hijos de las mujeres públicas.

Rieron y bebieron.

—Volviendo a los tiempos de la República, hubo un episodio irritante, esta vez fuera de España, que a mí me subleva. En 1934 se disputó en Italia un campeonato mundial de fútbol y el director del periódico envió allí a un compañero, Folgueras, como corresponsal. Folgueras volvió indignado. Italia vivía en aquellos años la máxima exaltación del Fascismo y a la expedición española, que representaba a una república democrática, le hicieron la vida imposible; fuera del campo con las mayores vejaciones y en el terreno de juego con las trampas más descaradas. Las cosas que contó Folgueras eran como para haber retirado el equipo del campeonato y haber roto las relaciones diplomáticas. Pues bien; tú recordarás que hace poco no ha podido celebrarse un encuentro entre un equipo romano y otro catalán porque los italianos, que ahora son muy de izquierdas y a nosotros nos consideran fascistas, amenazaron con actos de sabotaje y de terrorismo si se jugaba el partido.

—Poco se acuerdan de que ellos ayudaron a Franco a conquistar Málaga y Santander, aunque perdieron el culo en Brihuega.

—Exacto; y lo que yo digo: ¿Quiénes son los italianos para exigirnos a nosotros que seamos lo que ellos quieren cuando ellos lo quieren? ¿Nos metemos nosotros en su forma de gobierno? ¡Que les den por el saco! O, mejor dicho, no, que eso les gusta. La palabra tránsfuga debe ser italiana. Comentaba un amigo mío que los fascistas italianos habrán sido los mayores héroes de la Historia puesto que murieron todos en la Segunda Guerra Mundial.

—Ciertamente los italianos no son quienes para juzgar a los demás. En ningún país como en Italia la criminalidad ha constituido un hecho colectivo. El Renacimiento, los Carbonarios, la Mafia, la Cosa Nostra, la Mano Negra, la Mala Vita, la Iglesia...

—También hay que reconocer que las cosas se ven mejor desde fuera; en Méjico conocí a un singular personaje al que apodaban «El Viejo de la Montaña» quien me dio una opinión sobre nuestra guerra que me pareció bastante perspicaz: «Ustedes han tenido dos guerras simultáneas —me dijo—, una guerra colonial, de los nacionalistas contra los republicanos, que es la que ustedes llaman Guerra Civil, y una guerra civil propiamente dicha que fue la que los republicanos libraron entre sí. En la primera, un ejército invasor formado por marroquíes, italianos y alemanes, además de españoles, se dedicó a conquistar una colonia ocupando progresivamente su territorio; y, en la segunda, pelearon los socialistas contra los comunistas, los anarquistas contra los republicanos, los comunistas contra los anarquistas, éstos contra los brigadistas, e incluso, dentro de los comunistas los estalinistas contra el POUM y, entre los socialistas, los de Prieto contra los de Largo. Y así, enfrentados todos contra todos ¿Cómo iban a ganar la guerra las izquierdas?»

—Tenía razón.

—Y tanto. Durante la República, y más en la guerra, surgieron infinidad de asociaciones que se denominaban todas con el prefijo «anti», nunca con el prefijo «filo». Eso es bastante significativo. En

Madrid se decía que el mejor chiste de la guerra era el más breve: tanto que sólo consistía en tres letras: UHP. Yo contemplaba consternado las discordias entre los hombres de las distintas facciones republicanas pensando que tal comportamiento era suicida. Una vez, estando yo en un bar lleno de comunistas, entraron unos anarquistas y a su saludo «Salud, compañeros» respondió un comunista displicentemente: «Conocidos de la guerra, nada más.» Y se sentiría tan orgulloso. Me acuerdo también de que los comunistas llamaban a los socialistas «Socialfascistas» y, por supuesto, los estalinistas acusaban de fascistas a los del POUM.

—Vamos; que si los hombres fuéramos cuerdos nos volveríamos locos.

—Pero me he metido en la guerra aunque, a decir verdad, de los años anteriores poco tengo que contar.

—No sé qué te parecerá lo que voy a decirte: Pienso que si hubierais ganado vosotros la guerra. España se habría visto implicada en dos guerras más; en primer lugar la mundial. Los hombres de la República no habrían tenido la habilidad de Serrano —Suñer para mantenernos al margen o no lo hubieran deseado y, en todo caso, Hitler no hubiese respetado una sediente neutralidad que le era hostil. En segundo lugar, la España republicana habría caído bajo la esfera de influencia de la Komintern —fíjate que el último gobierno de Negrín era declaradamente comunista— lo que las potencias occidentales no habrían tolerado respaldando a las derechas en una guerra de reconquista bajo la bandera de una monarquía constitucional. Imagina lo que hubiera significado para España el padecer tres guerras seguidas.

—No te replico porque en la Historia no vale hacer conjeturas; lo que ha sido es, y nada más.

El sereno de noche sustituyó al recepcionista. En el salón solitario reinaba el silencio. Se sirvieron otros vasos de licor café.

—Vamos a quedarnos dormidos.

—No lo creas; en esta bebida, el café contrarresta los efectos del alcohol. Anda; sigue contando.

Capítulo III

UNA FECHA

Una mañana estaba yo tomando café con unos compañeros cuando sonaron unos tiros en la calle. Nos asomamos. Desde un automóvil en marcha que se alejaba rápidamente habían disparado contra unos falangistas que estaban sentados en la terraza. Próxima a ellos, una mujer que pasaba, sobrecogida por el susto se había derrumbado en un silla. Mis compañeros se agacharon junto a los falangistas; yo acudí a la mujer; era joven y bonita.

—¿Está usted herida?

—No —balbuceó—, sólo asustada.

Se había quedado lívida.

—Ya lo veo. ¿No quiere tomar nada? ¿Una copa de coñac? ¿Un vaso de agua? Eso le tranquilizaría.

—Gracias; ya voy reponiéndome.

Se levantó y, al intentar andar, vi que le temblaban las piernas.

—Si me lo permite, la acompañaré. No me parece que esté en condiciones de ir muy lejos.

Es así como conocí a Águeda. De momento no pude hacer grandes progresos; estaba casada y vivía con su marido, aunque el matrimonio llevara tiempo distanciado. Hasta que un día su marido se fue de viaje, a León según creo, y Águeda me citó en sus casa. A otro sitio no se había atrevido a ir.

—Ven después de las once, cuando los vecinos estén acostados. Te daré la llave del portal.

Desde aquel momento no pensé en otra cosa que en el instante de reunirme con ella. Pasé el día absorto deleitándome con la imaginación en los transportes amorosos a que nos entregaríamos. Esa noche, cenando con los compañeros de redacción, me hallaba abstraído en esos pensamientos sin dejar de consultar el reloj.

—¿Qué te pasa, Castro? Estás ausente toda la noche.

—Éste tiene alguna cita.

¡Cuántas bromas se dicen sin sospechar que sean verdad! En mi confusión no supe replicar con donaire a sus pullas. No sé lo que pensarían. Sólo sé que al despedirme me dijo un guasón:

—¡Échale uno de mi parte!

¿Sabrían algo? Me tranquilicé pensando que eso no era posible; Águeda y yo habíamos llevado nuestras relaciones, todavía sin consumar, con absoluta discreción. En mi impaciencia me precipité; eran las doce menos cuarto cuando llegué a su casa. El sereno se quedó mirándome con desconfianza; parece como si tuvieran un sentido especial para detectar algo raro. Pasé de largo y di una vuelta por las calles próximas. Eran las doce en punto cuando volví; a través de una esquina atisbé al sereno parado frente a la casa de Águeda. Le maldije con toda mi alma:

—Este cabrón se ha mosqueado y no va a moverse de ahí en toda la noche.

Me fui a una calle posterior y desde allí le llamé con sonoras palmadas:

—¡Sereno!

—¡Va!

Di la vuelta por otra calle y me planté en el portal de Águeda. Era tal mi nerviosismo que no acertaba con la llave. Entré por fin y subí a oscuras las escaleras. Como habíamos convenido, llamé a la puerta de Águeda con unos suaves golpes de los nudillos. La puerta se abrió y en el vestíbulo en tinieblas tropecé con su cuerpo tan anhelado. No sé lo que duró el beso.

A la mañana siguiente hube de marcharme antes de que amaneciera. A través de la cancela del portal escudriñé por si veía al sereno y salí. A los pocos pasos me lo encontré dando la vuelta a una esquina. Me clavó una mirada inquisitiva: «¿Dónde se habrá metido éste?» debió pensar. Le di los buenos días con una sonrisa burlona que debió escocerle y seguí mi camino. La noche pletórica, tanto tiempo anhelada, había despertado en mí una gran euforia y un sentimiento de plenitud unidos a una laxitud muy agradable. Aunque no hubiera dormido en toda la noche caminaba con paso firme sintiéndome colmado por la satisfacción.

Era de día cuando llegué a casa. Vi de lejos a la portera barriendo la acera. Como la pulcritud no justificaba tan madrugadora diligencia deduje que se traería algún chisme y dado que yo no estaba para escuchar cotilleos, deseando acostarme cuanto antes, intenté eludirla aprovechando el que ella estuviera de espaldas. Pero los fisgones deben tener ojos en la nuca; ya antes de que hubiese podido oír mis pasos se volvió. La saludé brevemente e intenté escurrirme en el portal pero se me plantó delante:

—¿Viene usted de la Almudena?

—¿Qué Almudena?

—¿No ha estado usted en el cementerio?

—¿Qué pasa en el cementerio?

—Vamos; no me diga que no se ha enterado de lo de Calvo Sotelo.

Hice un gesto de resignación.

—¡Claro! Ustedes los periodistas no sueltan prenda hasta que las noticias salen en los periódicos.

—¿Pero qué noticias?

—Que han matado a Calvo Sotelo. ¿No lo sabe usted?

—¿Y usted se lo cree? Vamos, mujer. ¿Cuándo van a dejar ustedes de tragarse todos los bulos que circulan por ahí? No escarmientan.

—Que no es un bulo, señorito; que lo sé de buena tinta.

—¡Qué buena tinta! Me río yo de la buena tinta.

Y al largarme escaleras arriba le advertí.

—¡Y acostúmbrese a no llamarme señorito!

Mi incredulidad se explica por el hecho de que Madrid fuera entonces una babel de rumores. En los cafés sobre todo se barajaba toda clase de especulaciones. Se decía, por ejemplo, que la izquierda iba a promover un levantamiento de la derecha para justificar el desencadenar la revolución; y que la derecha quería fomentar la revolución de la izquierda para justificar su rebelión. Con el mayor aplomo se adelantaban fechas; se daban nombres y lugares, y todo ello avalado por la frase de moda que acababa de pronunciar la portera: «Lo sé de buena tinta.» Tú la escucharías también.

—Yo no estaba en Madrid en aquella época.

—Esa suerte tuviste. Lo cierto era que tanto se anunciaba un golpe de fuerza sin que llegara a producirse que ya no creíamos en él sin darnos cuenta de que tal situación no podía durar.

La izquierda se mostraba más descarada. Una gran manifestación recorrió las calles de Madrid portando pancartas con los retratos de Largo Caballero, Lenin, Stalin y Marx. Aquello era como el anuncio de una inminente revolución comunista. La derecha era más cauta; quizá porque yendo a morder no quisiera ladrar. El hecho era que aquel estado de cosas, huelgas, revueltas, asesinatos, no podía continuar indefinidamente. Pero nadie podía saber cuando reventaría aquel caos.

Me tumbé en la cama vestido con el propósito de dormir sólo una horita. Me despertó el sol que me daba en la cara; pegué un respingo y miré el reloj: ¡Las diez! ¡Y yo que debería estar en la redacción a las nueve...! Me lavé apenas y salí disparado; la portera ya no estaba.

Al llegar a la redacción observé una agitación inusitada. En el pasillo me crucé con Velasco.

—El director lleva toda la mañana buscándote como loco ¿Dónde te habías metido?

Y sin esperar respuesta se precipitó en su despacho.

En aquel momento pasó el director. Su voz y su actitud manifestaban un gran nerviosismo:

—¡Castro! ¿Pero dónde estaba usted? ¿En el cementerio?

Debí poner tal cara de alelado que pegó un bufido y se metió en el despacho.

Apareció Folgueras.

—¿Qué ocurre aquí? —le dije.

—¿Qué quieres que ocurra? Lo de Calvo Sotelo.

Y pasó de largo apresuradamente como todos.

Me quedé atónito. ¿Sería verdad lo del asesinato?

Volvió a aparecer el director:

—Pero, bueno, cuénteme, ¿qué le ha ocurrido?

—He pasado mala noche (en mi vida he dicho mentira más gorda) y por eso me he retrasado.

—Está bien. He enviado ya a Martínez a la Almudena. Ahora quiero que vaya usted a entrevistar a Gil Robles ¡Pero rápido!

Se metió en su despacho, aunque asomó al instante:

—¡Aféitese primero!

Cerró la puerta y yo bajé las escaleras todavía no repuesto de la sorpresa.

—¡Malo! —me dije—.Un país donde las porteras se enteran de las noticias antes que los periodistas...

En la barbería no se hablaba de otra cosa. Yo me hice el reservado, con lo cual pensarían lo mismo que la portera. Pero con la oreja puesta me enteré que la noche anterior unos guardias de asalto habían llevado el cadáver de Calvo Sotelo al cementerio de la Almudena con un balazo en la nuca.

Al salir de la peluquería sentía un hambre canina. Las energías derrochadas la noche anterior reclamaban sustento imperiosamente. No me atreví a entrar en un café de los alrededores por si me topaba con el director, y cogí un tranvía a casa de Gil Robles con el propósito de desayunar en alguna botillería que estuviera próxima, pero sólo encontré una taberna donde no pudieron ofrecerme otra cosa que un bocadillo de sardinas. No me atreví a regarlo con un vaso de vino por no presentarme en casa del Jefe apestando a vinazo. Y resultó que tales precauciones fueron inútiles; Gil Robles se había ausentado de Madrid. Volví a la redacción:

—Gil Robles está veraneando en Biarritz con la familia.

—Pues vaya usted allí —respondió el director—. Necesito esa entrevista.

—Por cierto, el portero me ha dicho una cosa muy interesante: anoche fueron a buscarle unos asaltos.

El director lanzó un silbido:

—Bien puede decir que ha nacido ayer.

—Es un dato importante. ¿Va usted a publicarlo?

—¡Ni hablar! No tengo ganas de que otra noche sea yo a quien vayan a buscar los guardias. Así que, andando, Castro. Corra a la estación del Norte y saque billete para el primer tren.

No tardé en volver.

—Imposible encontrar billete; todo está vendido hasta mediados de agosto. He querido hacer valer mi condición de periodista pero ha sido inútil. A menos que con sus relaciones me consiga usted un billete.

—Déjelo de mi cuenta. ¡Ah! Y esté usted localizable.

Lo estuve. Pensé que sería cuestión de dos o tres noches y no quise pasarlas fuera de casa; mis encuentros con Águeda fueron muy breves. En esos días no vi al director y al fin, impaciente por disfrutar más descansadamente con mi amante, irrumpí en su despacho:

—¿Qué hay de mi viaje a Biarritz?

—Olvídelo: Gil Robles ha estado en Madrid y ha vuelto a marcharse. Usted, como siempre, en la luna.

(En la luna de miel) —pensé yo.

—En una reunión del Congreso se ha despachado a gusto. De manera que esa entrevista ya no tendría interés. Y además ha surgido algo más importante: una sublevación militar en Melilla.

—¿Va usted a enviarme a Melilla?

—No por el momento; esperaremos acontecimientos.

Al salir del despacho pensé con mi perspicaz incredulidad:

—¡Bah! Será una sanjurjada.

Y era 18 de julio.

Capítulo IV

GUERRA CIVIL

Los dos castros se sirvieron otra ronda de licor café.

El narrador prosiguió su historia:

—Recibí mi bautismo de fuego como corresponsal de guerra en el asalto al cuartel de la Montaña. Busqué un puesto de observación desde el cual pudiera dominar la situación a cubierto de las balas que pasaban silbando en las proximidades y así pude recoger una información directa.

También me tocaría asistir al asalto de la Cárcel Modelo, otra carnicería que prefiero no recordar. En ambos casos pude descubrir la fiabilidad que cabe esperar de los testimonios de mis colegas, quizá porque hasta entonces no hubiera sido yo testigo de los hechos. ¡Que fantasías! ¡Que infundios! Y, dicho más llanamente ¡Cuanta mentira! Contaban con el consenso de los políticos que parecían regirse por el principio de que una mentira repetida mil veces llega a convertirse en verdad.

—Y mil veces se ha repetido que eso lo dijo Goebbels.

—Sí; los nazis han hecho todo lo malo. En Méjico se contaba el siguiente chiste: «¿Sabes lo que ha dicho Truman?: Menos mal que los nazis no llegaron a fabricar la bomba atómica porque habrían sido capaces de utilizarla.»

—Buen sarcasmo. En España decíamos que si Roosevelt había sido Franklin Delano, Truman era tonto del culo.

—Erais muy benévolos con Truman. Los yanquis son unos hipócritas redomados que siempre tuvieron afición a las hermosas frases; los hechos ya son otra cosa.

—Volviendo a los infundios de mis colegas, eso me ha hecho reflexionar sobre la libertad de prensa. Como periodista yo soy partidario de ella y yo he padecido muchas restricciones por culpa de la censura, pero pienso que la libertad de prensa debe ser libertad de opinión, no libertad de información. Supón que los «naranjas» organizan una manifestación contra los «violetas»; a la manifestación acuden diez mil personas; los periódicos naranjas dirán que fueron cincuenta mil; los periódicos violetas que apenas dos mil. Bien está que los «naranjas» elogien los motivos de la manifestación y que los «violetas» los vituperen; esa es la libertad de opinión. Pero por un principio de honestidad profesional deberían respetarse las cifras reales. Pues no; parece que la misión de los periódicos fuera la de engañar a la gente. El periodista es un experto en artimañas, falacias y arterías para deformar lo que es y presentarlo como él quiere que sea. Con la radio ocurre lo mismo. Por ejemplo, el 18 de julio, cuando ya había estallado la sublevación en diversas capitales españolas, se dijo por la radio republicana que la sedición de Melilla no había sido secundada en ningún lugar de la península. Y, al día siguiente, que la rebelión había sido aplastada en Sevilla, lo que tampoco era cierto. Tal afirmación desmentía lo proclamado el día anterior ¿No habían dicho que la rebelión militar no se había extendido a la península? ¿Cómo decían ahora que se había sofocado la de la península? La facultad de publicar lo que a uno le da la gana lleva a incurrir en tales incongruencias, pero creo que la censura es todavía peor porque viene a hacer lo mismo y encima coactivamente; la libertad de censurar es más violenta que la de informar ¡Qué mal uso hace el Hombre de sus libertades! Porque la censura por supuesto, no trata de esclarecer la verdad sino de imponer su propia mentira. Piensa en la censura religiosa, en sus víctimas: Galileo, Giordano Bruno, Huss, Miguel Servet...

La censura de prensa alcanzó niveles extremos en la zona republicana. Se prohibieron las crónicas de los corresponsales de guerra; únicamente estaba autorizado el publicar los partes oficiales dictados por el Ministerio, con lo cual los periodistas tuvimos que dedicarnos a temas banales que al público, preocupado por la guerra, no le interesaban: asuntos sociales, sucesos y bagatelas intrascendentes, lo cual no era óbice para que también se censuraran estas crónicas.

Como te decía, yo me quedé en Madrid. Tuve suerte de que al marido de Águeda le sorprendiera el Alzamiento en zona nacional y no pudiera regresar a la capital. Con eso y con desaparecer los serenos, medida de precaución que adoptó el gobierno con objeto de evitar los paseos, encontré vía libre para visitarla todas las noches.

En Madrid pasé la guerra hasta casi el final salvo una escapada a Toledo que pudo costarme cara. El director me envió allí para que hiciera un reportaje sobre la toma del alcázar cuya rendición se veía inminente. Un día me telefoneó indignado: «Que cómo no le había notificado la caída del alcázar.»

—Obviamente —le dije— porque no ha caído.

—Pues todos los periódicos de Madrid lo han publicado excepto el nuestro.

—Y es el único que no ha mentido.

Yo estaba en Toledo cuando Cándido Cabello telefoneó a Moscardó conminándole a entregar el alcázar bajo la amenaza de fusilar a su hijo.

—Lo mismo ocurrió en Gijón con el Simancas. A Pinilla le dijeron que si no rendía el cuartel matarían a sus dos hijos. Después, Pinilla adoptó una decisión heroica que parece sacada de una tragedia griega. Abrió las puertas a los milicianos mineros y cuando estaban dentro envió el siguiente mensaje al acorazado nacionalista Almirante Cervera atracado en el puerto: «Cañoneadnos.» Y allí sucumbieron todos, defensores y asaltantes.

—Bueno; pues a mí me pilló en Toledo la llegada de Franco. Me detuvieron como a todo quisqui y me condujeron ante un tribunal donde se interrogaba a los detenidos. Yo había tenido buen cuidado de esconder mi carnet de periodista y mostré un documento en el que figuraba como guitarrista. Buscaron mi nombre en los archivos de militantes comunistas, anarquistas y socialistas de que se habían apoderado al entrar en la ciudad y no encontrándome en ellos me dieron por libre.

—¿Tú tocas la guitarra? —me preguntaron.

—Así parece.

—Pues quédate para tocar en la cena.

Al marcharse el tribunal intenté escabullirme aprovechando la confusión.

—¿Tú? ¿Dónde vas? —me gritó un cabo.

—Al retrete.

Y se vino conmigo, así que no hubo manera.

Habían organizado un banquete en el Ayuntamiento para festejar la toma de la ciudad y allí tuve que ir con una guitarra que me procuraron ellos. En unas grandes mesas alargadas estaban los defensores del alcázar confraternizando con los oficiales que les habían rescatado. Los jefes se habían reunido en un comedor aparte; entre ellos Franco, Varela y Moscardó.

Empezaron a cenar con gran algazara y yo, en el estado de ánimo que puedes imaginar, me puse a tocar unas sevillanas. Un comandante que estaba sentado de espaldas se volvió hacia mí:

—Guitarrista: ¿Le han dado de cenar?

—No, señor.

—Pues véngase acá. Háganle un sitio al guitarrista.

Me senté entre ellos muerto de vergüenza. Me parecía ignominioso estar ahí, mano a mano con mis enemigos, sin haber respondido: «Comandante: soy un republicano.» Pero... uno no es un héroe.

Lo que más me abochornaba era ver lo amables que estaban conmigo. En su euforia por la conquista, estimulada además por generosas libaciones, se mostraban de lo más efusivos; hasta el comandante me sirvió vino dos veces. En fin...

Cuando terminó la cena volví a coger la guitarra y estuve tocando hasta que levantaron los manteles y empezaron a desfilar.

Vi pasar a Franco.

—Si yo tuviera una pistola... Entraría en la Historia pero aquí me lincharían.

El vino me dio un valor temerario para abordar al comandante:

—Mi comandante: tengo a mi mujer en Illescas y debe estar muy preocupada por mí. ¿Podría usted darme un pase para reunirme con ella?

—¡Sí, hombre! —dijo con una afectuosa palmada en la espalda. Pero no volvió a acordarse del asunto y yo comprendí lo peligroso que sería insistir. Se fueron todos y al no ocuparse nadie de mí, esta vez sí, pude escaquearme y me perdí en las callejuelas de Toledo. Caminaba furtivamente esquivando a los pocos transeúntes que aún pasaban y así llegué a la puerta de Visagra. Desde lejos divisé a un piquete controlando la salida y emprendí otro derrotero. Camino de la puerta del Cambrón distinguí en la penumbra una escala colgando de la muralla y a uno que trepaba por ella.

—¡Queo! —gritó alguien con voz contenida.

—No os asustéis; soy de los vuestros.

Una linterna me dio en la cara.

—¡Pero si es Gabriel Castro!

—¿Vais a escaparos?

—Eso quererons. ¿Vienes con nosotros?

Eran cinco. Trepamos a la muralla y recogiendo la escala pasamos al otro lado.

—Mejor separarnos. Será más fácil pasar inadvertidos.

Emprendí la vuelta a Madrid caminando porque no había otro medio. Amanecía cuando llegué a Yuncos y con los pies tan hinchados que ya no podía dar un paso. En éstas descubrí un burro en un prado. Nadie sabe las peripecias que se pasan para subirse en burro ajeno y para convencerle de que vaya a donde uno quiere. Llegando a Torrejón se negó a seguir; por suerte pude montar en una camioneta que iba a Madrid y que me dejó a tres manzanas de mi calle; pero era tal el estado de mis pies que me costó las mayores penalidades recorrer esa distancia. Y, para colmo, en casa me encontré con una desagradable sorpresa: en mi ausencia habían metido a unos evacuados. En aquellos días fluía hacia Madrid por la carretera de Extremadura un torrente de campesinos que huían aterrados por lo que se contaba de Badajoz. Y no habiendo otro lugar para alojar a aquellas pobres gentes, el gobierno las metía en viviendas particulares. Una comisión recorría las casas inspeccionándolas y en las viviendas en que hubiera más habitaciones que personas metían a los evacuados. A mí me tocó un matrimonio con un niño. El chaval, pobre criatura, no daba ninguna guerra y la madre era una buenaza; pero el padre era el mayor gandul que he conocido y un caradura que se inflaba hablando de libertad e igualdad y trataba a su pobre mujer de la manera más despótica y opresiva como si fuera una bestia de carga. A ella le endosaba todas las faenas domésticas considerando degradante mover un solo dedo para ayudarla. Aquel vago vivía de una pensión que daba el gobierno a los refugiados ¡Qué manía tienen los gobiernos de mantener a parados y otros holgazanes! Y se pasaba el día sentado sin hacer otra cosa que liar cigarrillos. Cuando la mujer cogió la gripe y no pudo moverse de la cama estuvieron dos días sin comer los tres porque el muy imbécil juzgaba denigrante para su masculinidad, no ya el arrimar a la lumbre el puchero de lentejas, sino hasta comprar el pan y cortar unas rodajas de chorizo para hacer unos bocadillos. Y así hasta el tercer día en que renqueando y febril se levantó como pudo la infeliz para encender la lumbre.

—Una vez me dijo el tipo: «Vamos, camarada señor Gra-
biel —que así me llamaba el majadero— paice mentira que
todo un presonaje como tú que escribe en los papeles esté...
¡Partiendo astillas!»

A la asistenta le prohibí ayudarles, pero me dijo:

—Déjeme que lo haga por la madre y el niño.

Y tuve que consentir que les subiera el pan y les hiciera
otros recados.

Yo pienso, Gabriel, que el señoritismo justificó por sí solo
el advenimiento de la República. El señorito andaluz o extre-
meño, chulo, egoísta, vicioso, avasallador, violento, como aquel
García de Paredes que asesinó a una muchacha en Don Benito,
había fomentado un odio de clase que tenía por fuerza que estallar. Y Alfonso XIII era precisamente el prototipo de señorito.
Pero, por lo que yo intercalo este comentario es por aquel eva-
cuado que me metieron en mi casa que, con ser un modesto la-
briego, tenía toda la mentalidad del señorito; el despotismo con
que trataba a su mujer, su necio orgullo que no se rebajaba a
ningún trabajo doméstico, su holgazanería... en suma, su baja
entidad moral. En fin; que el señoritismo era una institución
española a todos los niveles de la sociedad y los que más rene-
gaban de él tenían todas las características del señorito.

—La integridad del campesino es un mito. El hombre de
pueblo no es tan canalla como el de ciudad porque carece de
medios para ello, no porque no tenga esa predisposición. Su
malignidad es más ruda, no tan perfeccionada como la del ciu-
dadano.

—Cierto. Pues como te decía, llegué a casa con los pies des-
trozados, tanto que hube de guardar cama. Envié aviso al periódico informándoles de mi estado —Folgueras y Velasco acudieron a verme— y en cuanto pude tenerme en pie, unos días
después, cogí un taxi y me presenté en la redacción. Los nacionalistas estabais ya en Getafe y yo le pregunté al director:

—¿Puede publicarse ya que hemos perdido Toledo?

No contestó a mi sarcasmo y me dijo:

—Azaña se ha ido a Barcelona. Redacte usted una nota diciendo que ha salido a inspeccionar los frentes.

Solté la carcajada:

—Pero eso suena a pitorreo. ¿Quién va a creérselo?

—Ya nadie se cree nada de lo que decimos. Pero es necesario publicarlo. No quiero que nos cierren el periódico como han hecho con *La Época* y *Ya*.

Al poco tiempo el gobierno en pleno se escabulló a Valencia y el Ministro de la Gobernación, Galarza, nos obligó a publicar una gacetilla en la que se desmentía la huida para asegurar que los miembros del gobierno, contrariando su deseo de permanecer junto al pueblo de Madrid en su heroica lucha contra el fascismo, se habían visto en la penosa obligación de acudir a otros frentes a prestar aliento y confortar con su presencia a los combatientes. Pero todos en Madrid sabían que los gobernantes se habían najado a Valencia que era el lugar más alejado de los frentes. La gente se reía más con los periódicos que con las revistas de humor que ante la competencia desleal de la prensa oficial hubieron de cerrar.

El único que se quedó en Madrid fue Besteiro dando un ejemplo que escoció a los restantes miembros del gobierno a los que la dignidad y bravura de don Julián ponían en evidencia. Para eliminar su figura intentaron enviarle de embajador a la Argentina, pero él se negó alegando que su puesto estaba junto a los que defendían la capital, lo que acabaría de levantarles ronchas.

—Es verdad; Besteiro era el único que permanecía en Madrid cuando entramos nosotros y Franco no tuvo la magnanimidad ni la nobleza ni la gallardía de dejarle en libertad en atención a un gesto valeroso que, como militar, Franco debería haber apreciado. Esa fue una tacha de la que tampoco puede exculpársele al caudillo.

—Otro que provocó los celos del gobierno fue Miaja, que había alcanzado un enorme prestigio entre el pueblo y, para disminuirle, suprimieron la junta de defensa que presidía nombrándole para otro cargo de menor importancia.

—También Franco tuvo celos de los éxitos de Mola, Queipo y Aranda. No importa el bando al que se pertenezca; la condición humana es igual en todas partes.

—Se cuenta que cuando Miaja telefoneó a Largo Caballero a Valencia pidiéndole municiones, éste sólo le respondió que le remitiera la cubertería de plata que en su precipitada fuga había dejado olvidada en el Ministerio.

En aquel tiempo se acordó conceder una insignia a los periodistas que habíamos permanecido en Madrid desafiando a los facciosos, cosa que naturalmente cayó muy mal entre nuestros colegas que habían perdido el culo camino de Valencia. En mi indignación por esas defecciones quise enrolarme en las milicias para ir al frente a defender Madrid, pero en la oficina de reclutamiento, a la que llegué cojeando todavía, no me dieron por válido.

Menos mal que mis evacuados también pusieron pies en polvorosa, con lo cual no tuve que aguantar la presencia de aquel patán y volví a ser dueño y señor de mi casa donde me quedé pidiendo a la diosa Fortuna que los nacionalistas no entrarais en Madrid. Otra cosa no estaba en disposición de hacer.

Unos huéspedes entraron en el hotel riendo alborozados con muestras de llevar una buena tajada encima. Saludaron a los dos castros y se perdieron en el ascensor. El hijo del peón caminero reanudó su relato.

Capítulo V

EL CANTOR DE MADRID

Los que no han conocido el Madrid de la Guerra Civil se lo imaginan lúgubre, apesadumbrado, tristón. Y, efectivamente, esa era una de sus facetas pero, por otra parte, en tan patética situación los madrileños sentían más que nunca la necesidad de divertirse para aliviarla. Sólo la risa podía contrarrestar sus penas y, de hecho, nunca circularon tantos chistes. Las cosas más frustrantes eran objeto de burla. Así, por ejemplo, se decía que el pan era la imagen del gobierno: «Porque es una miaja, porque es negrín y prieto, y porque con él tiene usted para largo, caballero.» Y, a propósito, una vez que los tuyos bombardearon Madrid con pan blanco, las autoridades republicanas, irritadas por la fanfarronada, propagaron el que ese pan contenía microbios, instando a los madrileños a entregarlo en las comisarías, Y de allí pasó a sus manos y... a sus estómagos. Los caricaturistas llenaban los periódicos con viñetas y aleluyas festivas que zaherían a los facciosos pero la gente prefería olvidarse de la guerra y los chistes que estaban de moda eran los de suegras y los de baturros que, por cierto, no nos hacían mucho favor retratándonos como tipos cerriles, toscos y de mollera dura. Y ese anhelo de reír se extendía también a los presos de guerra. Cuando tuve que hacer un reportaje sobre a construcción del «Ferrocarril de los Cien Días» que llevaban a cabo prisioneros a los que se había perdonado la vida, no por filantropía sino porque la República necesitaba mano de obra gratuita, y me personé en las obras, les encontré cantando mientras trabajaban. Una de las coplas, entonada con música de «La Cucaracha» decía:

> Cuando llegamos a Orusco
> Lorenzo compró un barreño
> porque decía que el plato.
> le resultaba pequeño.

Y el plato resultaba grande para el cazo de lentejas que les servían.

Como su obsesión era el hambre, todas las coplas giraban alrededor de lo mismo:

> No laves en el Tajuña
> la escudilla de la cena.
> que, a fuerza de rebañarla
> está como la patena.

La contrapartida de la risa triste pero limpia estaba en el humor repugnante de la chusma. Los «paseos» solían darse de noche en las afueras de Madrid y gentes a las que no califico llevaban al día siguiente a sus hijos pequeños para regodearse con el espectáculo de los fusilados. Les llamaban «los besugos» por su boca abierta y sus ojos vidriosos, y recuerdo que estando yo una tarde en la cola de una tienda, una mujeruca que llevaba de la mano a un niño le dijo: «Anda; dile a la madrina cuántos besugos has contado esta mañana.» Me salió del alma exclamar: «¡Pero qué bestia!» y el tendero me lanzó una mirada asustada que podía querer decir: «Lleva usted razón, pero hay que tener cuidado con lo que se dice.» Aquellos niños habrán parado en terroristas.

—O en monjes. A veces una educación genera erectos contrarios. Yo conocí un monje en el Monasterio de Veruela que, de niño, le llevaban a presenciar los fusilamientos de los rojos allí, en Navarra.

—Sí; es posible. Pues bien, los paseos y los registros fueron una práctica muy extendida. Los milicianos, tomándose más a pecho el «limpiar la retaguardia» que ir al frente, ignoraban aquello del allanamiento de morada y se colaban en las viviendas que les daba la gana a practicar registros o detenciones. En el primer caso siempre había algo que requisar; transigían si encontraban, por ejemplo, una botella de aceite; pero, si había dos, confiscaban ambas amenazando a los ocupantes de la vivienda por acaparadores. Peor fue aquello de los paseos; era la criminalidad más arbitraria y descontrolada. Una noche se presentaron unos milicianos en la casa donde vivía el arquitecto Javier Barroso:

—Venimos a detener a ese que es hermano de un militar faccioso —le dijeron al sereno para que les abriera el portal.

—¿Pero vosotros sabéis quién es Barroso? El portero del Athlétic.

—¡Anda, coño! Pues entonces, aunque somos madridistas, le dejaremos estar.

Y gracias a eso salvó la vida Barroso. Pero a los futbolistas del Nacional no les sirvió. El nombre del club les hizo sospechosos y aún más: convictos.

También se hacían chistes con motivo de los bombardeos y sobre eso puedo contarte una anécdota de lo más jocoso que me fue dado presenciar:

Ocurrió de noche en un refugio donde la gente se había congregado al sonar las sirenas de alarma anunciando un bombardeo. La mayoría acudía en pijama o en paños menores, envueltos en mantas, desgreñados y con expresiones en que se mezclaban el susto y el sueño. Uno de los vecinos estaba fuera de casa al sonar la alarma, no había venido al refugio, y su mujer estaba interpretando una escena de angustia tan teatral que no podía ser sincera; pero muchas personas, que se dejaban impresionar por sus aspavientos, la compadecían. En éstas se oyó una algazara en el acceso al refugio y entre ella se distinguieron unas voces alegres:

—¡Señora Alejandra! ¡Señora Alejandra! ¡Que ha llegado el señor Eugenio!

El interfecto, halagado por el efusivo recibimiento de sus vecinos entró sonriente. La Alejandra avanzó hacia él con ademanes majestuosos, pero enseguida se detuvo exagerando un gesto de horror:

—¡Vienes herido! ¡Tienes sangre en la boca!

Hubo un silencio sobrecogido que no tardó en romper la propia Alejandra:

—¡Mamón! ¡Me cago en tu madre!

Era carmín de labios.

Los dos castros rieron alegremente.

—Ya puedes figurarte la que se armó; las mujeres increpaban al sinvergüenza que le había dado un susto de muerte a la infeliz por ir a refocilarse con una pinga; los solteros le defendían entre risas y los casados no se atrevían a hacerlo. El episodio fue la comidilla del barrio durante muchos días.

Pues, como te decía, Madrid reía para quitarse el miedo. Pero no era el miedo a vuestros bombardeos sino el miedo a los registros, los paseos, las denuncias y, sobre todo, a los estalinistas por parte de quienes no lo eran. He detectado en los comunistas algo indefinible que yo, como aproximación, calificaría de siniestro y que se nota tanto en los que asesinan como entre los que dicen hacer bien al prójimo. Una manera de ilustrar lo que quiero decir sería leer el libro de Zugazagoitia, *Pedernales*.

Bien; siguiendo con el caso, a un compañero de redacción que tenía un hermano sacerdote le llevaron a una checa:

—¿Dónde está tu hermano?

—No lo sé.

—¿No lo sabes o no quieres saberlo?

—Ni lo sé ni quiero saberlo y, aunque lo supiera, no os lo diría.

—Está bien; puedes irte.

Y, cuando se dio media vuelta para marcharse, le pegaron un tiro en la nuca.

Publicamos el caso en primera plana ocupándola con fotos de él, de su mujer y de sus hijos, y se organizó un escándalo que les costó caro a los de la checa. Por lo menos los destituyeron a todos y desaparecieron. Imagino que les ocurriría lo peor, es decir, lo mejor. Pero cuando el asesinado no era un periodista o alguna notabilidad, el crimen quedaba impune. Un vecino mío tocaba la trompa en la Banda Municipal. Era más aficionado al vino que a la música y solía ser «trompa» en ambos sentidos. En un concierto en que se interpretaba el Himno de Riego estaba más bebido de la cuenta y desafinó de lo lindo. Algunos pensaron que lo hacía intencionadamente para ridiculizar el himno de la República. De ahí a calificarle de fascista y llevarle a una checa sólo había un paso. Y ya no volvió a tocar la trompa ni afinando ni desafinando.

Aparte de los casos de esta índole, se tramaron diversas arterías para cazar a los de la Quinta Columna. Una de ellas fue el llamado «Túnel de la Muerte». Se hizo correr la voz de que en el barrio de Usera había un túnel por el que podía pasarse a los nacionales. Muchos infelices picaron y acudieron con dinero y joyas para encontrarse con unos milicianos que se los arrebataban llevándoles luego a engrosar las filas de los «besugos».

Otra trampa consistió en abrir una falsa embajada a donde acudieron muchos quintacolumnistas en solicitud de asilo político. El final era el mismo del túnel de Usera Y no digamos los crímenes y las torturas cometidos por el SIM.

—En las guerras se considera todo lícito.

—Sí; pero hay mucha diferencia entre el soldado que se juega la vida en el frente, cara a cara con el enemigo, y el asesino cobarde que se acerca por la espalda a un hombre indefenso y desprevenido y le pega un tiro en la nuca. Y también el criminal canalla que pone una bomba donde puede matar o mutilar a seres inocentes como niños. ¿Hay algo más abyecto? El gobierno nunca logró evitar tales desmanes a pesar de las muchas restricciones que impuso; porque Madrid se convirtió en la ciudad de las prohibiciones. Así fueron promulgándose una serie de disposiciones como no han conocido los regímenes totalitarios más restrictivos: Se prohibió la circulación de vehículos y de peatones desde las once de la noche hasta las nueve de la mañana; se prohibió reunirse grupos de tres o más personas; se prohibió llevar mapas o consultar planos; se prohibió aproximarse desde la puesta a la salida del sol a cuarteles, fábricas, vías férreas, bancos, edificios públicos... es decir, a todas partes; se prohibió tener aparatos de radio no precintados y cámaras fotográficas, así como la venta de material fotográfico; se prohibió hablar de la guerra en locales públicos; se prohibió el reparto de octavillas no sancionadas por la censura; se prohibió la venta de pan en bares y cafés; se prohibió circular con mantas y colchones.

—Pero eso parece un chiste.

—Calla; se prohibió dar limosna a ciegos e inválidos; se prohibieron los cabarets... En fin; se prohibieron hasta las libertades más elementales del ser humano. Y entretanto un diputado, Varela, lanzando por radio fogosas soflamas en las que, junto a otras lindezas, proclamaba: «En Madrid se halla la frontera entre la libertad y la tiranía.» Si la República hubiera ganado la guerra estaba claro cuál hubiera sido esa libertad. La Pasionaria decía en sus arengas. «Más vale morir de pie que vivir de rodillas» ¡Bonita frase! Pero los suyos nos ponían de rodillas a todos con esas prohibiciones.

—Irían dictadas por el miedo del gobierno a la Quinta Columna.

—El miedo a la Quinta Columna, a los espías, a los saboteadores, a los derrotistas... Pero, sobre todo, el miedo a que los madrileños descubrieran las mentiras con que el gobierno pretendía tenerles engañados. Porque sabían que muchas personas, y no sólo los quintacolumnistas, escuchaban clandestinamente vuestras emisoras, que eran las que daban partes verídicos de la marcha de las operaciones militares, e inventaron el precintar los aparatos de radio codificándolos de manera que solamente pudieran oírse las emisoras republicanas.

Sabían que las gentes se reunían en torno a una mesa con la radio en el centro y cubriéndose las cabezas con mantas para evitar una denuncia de los vecinos, y así escuchaban las emisiones de Queipo de Llano. Por el mismo motivo se prohibía hablar de la guerra para que no se difundiera la verdad de nuestras derrotas en los campos de batalla. El gobierno decía luchar contra presuntos bulos y con frecuencia nos obligaba a publicar notas oficiales que invariablemente comenzaban con la expresión «Saliendo al paso de ciertos rumores...» y terminaban con otra consabida frase «... se aplicarán sanciones con el máximo rigor». Pero, naturalmente, era el gobierno el primero en propagar ciertos bulos como el que nos obligó a publicar la Inspección de Guerra diciendo que Málaga había sido cedida por Franco a Mussolini para establecer una colonia italiana. Consecuencia de tal estado de prohibiciones era la censura; en particular, los periódicos aparecían frecuentemente con espacios en blanco: los correspondientes a escritos censurados; y, a mí, que nunca he tenido pelos en la lengua, me suprimían sistemáticamente mis colaboraciones al periódico. Cuanto más me censuraban más me indignaba y más hierro ponía en los artículos siguientes, lo que imposibilitaba su publicación.

Así las cosas, se organizó un acto de homenaje a unos milicianos que volvían del frente con permiso. En aquel tiempo yo cantaba acompañándome de la guitarra pero nunca lo había hecho en público, sólo en reuniones con compañeros de redacción, y fueron éstos los que me animaron a actuar en aquella fiesta. Lo hice y alcancé un éxito inesperado.

—¿Qué cantabas?

—Pues canciones de mi cosecha.

—Cántame alguna.

—Hombre, cantar aquí no; pero puedo recitarte alguna letra; por ejemplo, la de una titulada *El tiempo perdido:*

A una novia en el altar
le dijo el novio al oído:
«Ir ahora al lunch a bailar
es tiempo perdido,
es tiempo que hay que aprovechar»
Cuando la noche pasó
el ya saciado marido
el lunch de menos echó,
y es tiempo perdido,
es tiempo que nunca volvió.

El que no quiso comer
el dulce fruto prohibido
por respeto a su mujer
es tiempo perdido,
es tiempo que no ha de volver;
porque puede averiguar,
avergonzado y dolido,
que ella no quiso «ayunar»,
y es tiempo perdido,
es tiempo que no ha de tornar.

Seguían otras estrofas pero con éstas basta para que te hagas una idea de cómo eran mis canciones. Bien; pues entre los asistentes estaba el director de Unión Radio que me propuso actuar en una emisión de varietés. Acepté: «Si sale mal —le dije— no pasa nada, porque como está prohibido escuchar la radio nadie va a enterarse», y actué por radio. Canté mis canciones *El tiempo perdido, María, Las vírgenes perversas, El necrófilo...* y fue tanto el éxito que el director me propuso quedarme. Yo estaba harto de no poder publicar nada en letras de molde y encontré en la radio una salida. Hablé con el director de mi periódico para anunciarle mi renuncia y fiché por Unión Radio.

Así nació *El Cantor de Madrid*. Más adelante me adjudicaron un programa para mí solo en el que además de cantar contaba chistes y leía comentarios de actualidad. Me hice muy popular con canciones desenfadadas, que era lo que el público quería con preferencia a las canciones de guerra *El tren blindado, Los cuatro generales, Marineros* y otras igualmente ilusorias que jaleaban victorias inexistentes y que el gobierno, naturalmente, promocionaba.

—¿Componías tú la música? Porque en las oficiales que me has citado ni siquiera la música era original.

—En las mías sí. Pero también cantaba canciones de otros autores porque mi repertorio no daba para cubrir tantos programas. Por ejemplo, una que había hecho furor al proclamarse la República:

—Ya se secó el arbolito.
donde dormía el pavo real;
ahora dormirá en el suelo
como cualquier animal.

Lo que no sé es si también escuchabais mis canciones en la España nacional.

—Que yo sepa, no.

—Pero tendríais noticias de ellas. Y eso fue lo que me impediría volver a España en muchos años.

Apuraron los vasos:

—¿Otra ronda?

—Venga; la mía sin soda.

Capítulo VI

EN RETIRADA

Mis alocuciones de Unión Radio debían pasar previamente, como todo, por la censura. Yo entregaba el guión y me lo devolvían invariablemente con tachaduras y rectificaciones; no necesito decirte que eran naderías y pejigueras. Pero un día hubo también censura a posteriori. Resulta que yo había escrito en el guión la palabra «completamente» y en mi alocución dije «totalmente»; y sólo por ese motivo me llamaron al orden. Aquello colmó mi capacidad de aguante. Salía yo de Unión Radio indignado cuando me abordó en la calle Paco Fajardo, un tipógrafo al que conocí cuando trabaja yo en el periódico. Era un hombre de mediana edad, jovial, que me saludó con una afectuosa palmada en la espalda:

—¿Cómo va *El Cantor de Madrid?*

—Va... echando lumbre.

—¿Pues qué le ocurre, Castro?

Le conté lo sucedido con el adverbio de marras.

—Ande —me dijo— Vamos a tomar un café a ver si se le pasa el cabreo, aunque con el recuelo que nos den es posible que se le aumente.

Entramos en un café solitario y Fajardo buscó una mesa apartada. Era la costumbre, cuando uno quería hablar libremente, en unos tiempos en que había espías por todas partes.

—Estoy harto —le dije— Harto de una censura que sólo deja pasar mentiras para engañar a la gente según su conveniencia.

—¿Y qué piensa usted hacer?

—¿Qué voy a hacer?

A pesar de que estuviéramos solos, Fajardo bajó aún más la voz:

—Escuche, Castro; esto se ha acabado, digan lo que digan ustedes los periodistas.

—Yo no lo digo.

—Bueno; lo dicen sus colegas. Todos sabemos que la guerra está perdida. Cuantas acciones bélicas hemos iniciado victoriosamente han concluido inevitablemente en derrotas. Ya ha visto usted lo ocurrido en Teruel; ni con la ayuda del «General Invierno» hemos conseguido evitar el descalabro. Así que «apaga y vámonos». Yo antes no comprendía ese afán de nuestro gobierno por resistir a ultranza. Ahora lo veo claro: mientras dure la guerra los jerifaltes de la República seguirán siendo presidentes, ministros, disfrutando de las sinecuras que eso conlleva, y el día que la guerra se acabe no serán nadie; unos exiliados como los demás, dando tumbos por el mundo. No les importa el que prolongar la guerra inútilmente cueste la sangre del pueblo español. Ellos van a lo suyo que es chupar de la ubre lo más que puedan e ir rellenando la hucha para el día de mañana. Y los demás que se pudran.

—Puede que no ande usted descaminado.

—¿A qué vienen, si no, esas proclamas de optimismo, esas engañifas ocultando las derrotas, ese empecinamiento por resistir? ¿Ha leído usted *La Voz?* No sé cómo han dejado publicarla. A propósito de las paroladas de nuestros políticos dice que con discursos no se cargan los cañones ni se llenan los estómagos.

Tenía razón Fajardo. La realidad en la calle era muy distinta de la mentira oficial. Recientemente y ante un invierno que se presentaba muy crudo, una procesión de mujeres famélicas y ateridas se había manifestado bajo el lema «Pan, carbón o rendición», soliviantando a los jerifaltes del gobierno que habían tenido que recurrir a amenazas sabedores que sus cantos de sirena ya no convencían a nadie.

De las soflamas gubernamentales a favor de la resistencia participaban hasta las canciones. Una de ellas decía:

> Madrid qué bien resiste, mamita mía, los bombardeos;
> de las bombas se ríen, mamita mía, los madrileños.

Y yo recuerdo haber visto a un muchacho al que una bomba había arrancado las dos piernas y le llevaban a un hospital donde sin duda moriría... de un ataque de risa.

Quedamos en silencio porque venía el camarero. Cuando éste se alejó, Fajardo sacó disimuladamente dos terrones y me dio uno como el que regala una joya.

—Yo ya lo tengo decidido. Voy a largarme con otros tres amigos ¿Por qué no se une usted a nosotros?

A continuación me expuso su plan:

—Vamos a comprar un automóvil entre todos. La idea es ir a Valencia y luego, bordeando la costa, llegar a Port-Bou y pasar a Francia.

—¿Y comprar un automóvil para eso? ¿No hay otros medios de transporte?

—En barco no hay que pensar en salir de España; la armada de Franco vigila los puertos que aún no están en su poder. En tren se puede ir a Valencia y quizá hasta Barcelona; pero entre Barcelona y la frontera solamente circulan trenes militares. Además, el plan es vender en Francia el automóvil, un Hispano Suiza, por el que nos darán el doble de lo que vamos a pagar aquí. Y con ese dinero podremos empezar una nueva vida.

Calló porque se acercaba el camarero; luego prosiguió:

—El auto nos cuesta cincuenta mil pesetas. Nosotros cuatro escotamos a doce quinientas pero si usted se nos une tocaremos a diez.

—No tengo ese dinero ni loco. Además, la cosa va para largo. Todavía Cataluña no ha caído y, como usted acaba de decir, no hay visos de que el gobierno acepte la rendición. Queda mucho tiempo por delante para la huída. Y, encima, hay cosas que me atan aquí.

(Yo estaba pensando en Águeda.)

—De acuerdo. Pero tenga en cuenta que el día menos pensado los franquistas cortarán la frontera con Francia y entonces ¿cómo va usted a salir?

—En avión. Por diez mil pesetas seguro que encontraría plaza en alguno.

—Es que ese día nadie le aceptará dinero, Castro. El dinero de la República estaba avalado por el oro del Banco de España que ha volado a Moscú y que Rusia no devolverá jamás. Todavía hay quien cree en ese dinero, como el vendedor del Hispano que, por suerte para nosotros, aún no se ha desengañado, pero ya va extendiéndose la desconfianza entre la gente ¿no ha visto usted el mercadillo de intercambio que se organiza en la calle de Torrijos? Allí, por unos calcetines le dan un kilo de patatas y por una estilográfica una docena de huevos. Pero de coger dinero, nada. El gobierno se enrabieta con eso que supone su desprestigio y les hace publicar a ustedes, los periodistas, amenazas que para la gente no son más que bravatas. En fin; haga usted lo que quiera. Nosotros pensamos irnos pasado mañana. Si cambia usted de idea tiene todavía mañana para decidirse. ¡Ah! Y le digo una cosa: yo tengo mis doce mil quinientas pesetas pero, si viniera usted, le prestaré las dos mil quinientas que me sobrarán; no tendrá que conseguir más que siete quinientas.

Le expresé mi gratitud con un fuerte apretón de manos y nos despedimos.

Yo, cegado insensatamente por el enfado, había resuelto tomar desquite de la censura, de manera que esa noche tiré a la papelera el guión autorizado e improvisé mi charla despachándome a gusto. La reacción no se hizo esperar; al acudir a Unión Radio la mañana siguiente salió el director:

—Castro: Se le ha acabado a usted la radio. ¿Cómo se ha atrevido a hacer eso? No tengo más remedio que echarle; si no me echarán a mí.

Y antes de cerrarme la puerta añadió:

—Y vaya con cuidado; he oído proferir amenazas muy serias contra usted.

Comprendí que yo me lo había buscado y que ya no era posible dar marcha atrás. La cuestión era el qué iba a hacer; no podía escribir en el periódico, no podía hablar por radio... Recordé el ofrecimiento de Fajardo y después de pensarlo mucho decidí aceptarlo. El problema era conseguir las siete mil quinientas pesetas. Fui a casa y consulté mi cartilla de ahorros: Dos mil quinientas pesetas; incluso más de lo que yo esperaba. Para reunir las restantes tuve una idea descabellada; me presenté en la redacción del periódico. El director me recibió efusivamente:

—¡Hombre, Castro! ¿Usted por aquí?

—Por poco tiempo. He decidido irme al extranjero.

—No me extraña. Después de la que ha montado usted anoche en Unión Radio ¿cómo ha tenido usted valor? No se habla de otra cosa. Pero, siéntese.

—He venido porque necesito cinco mil pesetas —le espeté sin más.

—¿Le cobran a usted cinco mil pesetas por sacarle de España?

—Me cobran diez.

Le expliqué todo el asunto.

—¿Están ustedes seguros de que podrán vender el Hispano Suiza en Francia?

—Con eso cuentan mis compañeros.

—¿Y por qué piensa usted que yo vaya a prestarle esas cinco mil pesetas?

—Porque, aunque usted sea un poco gruñón, en el fondo es buena persona.

Soltó la carcajada.

—Siempre me ha gustado su sinceridad, Castro, aunque, por lo visto, soy el único.

Me miró con simpatía:

—No voy a prestarle las cinco mil pesetas porque no dispongo de esa cantidad pero le daré tres mil; es todo lo que tengo.

Le estreché la mano conmovido:

—Tenga la seguridad de que, más pronto o más tarde, se las devolveré.

No he podido hacerlo. Cuando entraron en Madrid los tuyos le fusilaron. Esa es una deuda que siempre me dolerá el no haber tenido la posibilidad de saldar.

Todavía me quedaba por conseguir dos mil pesetas. Fui a casa de Águeda. Me recibió entre sorprendida y asustada:

—¿Cómo vienes a estas horas? ¿Qué pensarán los vecinos?

—Una sola visita no despertará sospechas. Y no voy a volver más.

Seguidamente el expliqué nuestro plan. Águeda me echó los brazos al cuello:

—¡Llévame contigo, Gabriel, llévame contigo!

Intenté hacerle comprender que aquello sería una locura; que íbamos a la ventura; que la empresa era temeraria y el resultado incierto Sólo pude convencerla cuando le prometí escribirla para que se reuniera conmigo el día en que yo lograra una posición económica estable. Nunca la tuve en el exilio y por tanto no la escribí. Otra deuda que no he podido cancelar. Al volver a España intenté verla; se había mudado de casa y nadie supo darme sus nuevas señas. De todas maneras, el recuerdo de la esposa que tuve en Uruguay no me hubiera permitido reanudar nuestras relaciones.

En fin; como te decía, Águeda accedió a quedarse:

—Júrame que me llamarás para reunirme contigo.

—No creo en Dios; te daré mi palabra de honor.

—Las izquierdas tampoco creéis en el honor.

Me sorprendió esa salida de Águeda y me quedé aturdido sin saber qué responder. Y es que Águeda tenía razón; en la República conceptos como honor, nobleza, caballerosidad, hidalguía, eran considerados muletillas fascistas. Y palabras como elegante, selecto, distinguido, tampoco tenían buena prensa. La República había subvertido todos los valores.

Sacó cinco mil pesetas:

—Es todo cuanto tengo.

—Me basta con dos mil.

—Para pagar el auto, pero ¿vas a ir sin dinero?

—¿Y vas a quedarte tú sin nada?

Solamente acepté dos mil. Como despedida hicimos el amor y entre los brazos de Águeda sentí flaquear mi propósito de abandonarla; pero, pasado el éxtasis recobré la razón aunque hube de dominar el impulso que me provocaron sus lágrimas en el beso final.

Me fui a ver a Fajardo; se alegró mucho de mi decisión:

—Vamos a llevarle los cuartos a Cabrero.

Mariano Cabrero era mecánico y, según nos dijo, afiliado a la CNT. Más adelante me confesaría ser un superviviente del POUM que se había disfrazado de anarquista para salvar (relativamente) la pelleja. Alto, enjuto, taciturno, quizá por el riesgo en que veía a su persona, era él quien iba a conducir el Hispano. Lo tenía en un garaje adosado a su casa y me preguntó si quería verlo. Nos mostró un automóvil grande, lujosísimo, que manifestaba hallarse en perfecto estado:

—Tiene unos años pero está muy bien cuidado. El dueño es un vendedor de automóviles representante en España de la firma Graham Paige americana.

—¿Y no tenía un auto más barato?

—Al estallar la guerra los milicianos se incautaron de los que estaban en su tienda. El Hispano se libró porque lo tenía en casa y aquí ha estado escondido. Pero este auto es mucho mejor que los Graham Paige. Con esta maquinaria se puede ir al fin del mundo.

Quedamos en que la partida sería el día siguiente a las ocho de la mañana. Me despedí de los dos y me fui para casa.

En el camino empezaron a asaltarme dudas y temores. Pronto me había fiado yo de unos desconocidos. Fajardo me inspiraba una confianza absoluta pero ¿y los otros? ¿Y si al acudir al día siguiente a la cita nos encontrábamos Fajardo y yo con que los pájaros habían volado llevándose el automóvil y el dinero? En aquellos tiempos la existencia exigía una lucha despiadada en la que no se reconocía la amistad ni, como Águeda había dicho, el honor. Pensé que la única garantía que podía ofrecerme sería vigilar yo personalmente la casa de Cabrero. Me apresuré a recoger mis pocos efectos; la guitarra y un lío de ropa interior que envolví en un paquete. No me atreví a salir llevando una maleta porque eso podía infundir sospechas; con ese miedo vivíamos.

Llegué a la calle de Cabrero e inspeccioné los alrededores de la casa. Justo enfrente había un edificio abandonado y medio derruido a consecuencia de un bombardeo. Desde una ventana de la planta baja podía vigilar la puerta del garaje donde vi el Hispano. ¿Pero seguiría allí?

Salí paseando como distraídamente y al pasar frente al garaje atisbé a través del ojo de la cerradura; allí estaba el auto. Tranquilizado, volví a mi escondite. Eran las seis de la tarde; me aguardaba una espera de catorce horas y, en mi impaciencia, no había tenido la prevención de proveerme siquiera con un bocadillo.

En la habitación desmantelada donde me instalé hacía un frío glacial. Eso me obligó a dar paseos que además de hacerme entrar en calor me ayudaban a dominar el sueño durante la velada. Pero al final me rindió el cansancio y, acurrucado junto a la ventana, me quedé dormido; no sé cuánto tiempo.

Recuerdo que me desperté sobresaltado. Era de día; miré el reloj: Las ocho. Salí escopeteado. En la puerta de la casa coincidí con Fajardo. Abrió Cabrero:

—Hemos sido puntuales todos —dijo.

Relajé mi tensión con un suspiro de alivio.

No le confesé a Fajardo mis suspicacias.

Incluso lamenté la mala noche que había pasado por culpa de mis aprensiones. Sin embargo aquello resultaría providencial; según he sabido después, esa noche fueron a buscarme a casa.

Junto al Hispano Suiza con el motor en marcha calentándose estaban los otros compañeros de viaje: Miguel Orduña, un pintor de más o menos mi edad, y Vicente Domínguez, empleado de correos, que debía ser el mayor de los cinco aunque aún no hubiera cumplido los cincuenta.

Al ver la guitarra fruncieron el ceño:

—¿Hay que llevar ese trasto?

—Es mi medio de ganarme la vida.

—Pues en el maletero no cabe; y dentro...

—A ver donde los traspuntines. ¿Qué son esas latas?

—Gasolina. Ni con el depósito hasta arriba hay para llegar a Valencia y no sé cuándo podremos repostar.

—Pues a ver qué hacemos.

—Si hubiera sabido que no podría llevar la guitarra no me habría apuntado a este viaje. Devuélvanme las diez mil pesetas y me quedaré.

Fajardo intervino conciliador:

—¡Vamos! No hay que tomarlo por donde quema. La guitarra puede ir sobre las latas si la sujetamos ¿Tiene usted una cuerda, Cabrero?

Al fin acoplamos todo el equipaje aunque a regañadientes.

—Mal empezamos —me dije.

Como si hubiera adivinado mis pensamientos, Domínguez comentó:

—Vamos a compartir días muy duros. Es preferible que marchemos unidos, no nos pase lo que a la República.

Un silencio, más bien hostil, siguió a estas palabras. Nos acoplamos en el auto, excepto Cabrero, que se quedó para cerrar la puerta del garaje. Luego ocupó su asiento al volante.

—¿Vamos?

—Vamos.

Y el Hispano Suiza arrancó hacia el más incierto de los destinos.

PARTE II

LA PARTIDA

Capítulo VII

ELLA

El narrador, conmovido por aquel recuerdo, quedó unos instantes en un silencio que su interlocutor respetó. Luego prosiguió su relato:

—Cruzamos las calles de Madrid, para unos, aunque no lo supieran entonces, por última vez. Íbamos en silencio y pienso que, como yo, mis acompañantes irían evocando su vida anterior, la que entonces abandonábamos, con sus vivencias y recuerdos.

Bordeamos el Retiro y pasamos frente a la Estación del Niño Jesús (ahora le habrían cambiado el nombre) donde la columna de humo de una locomotora era el único testimonio de vida en una zona solitaria; piensa en lo que eso significa.

Y enfilamos la carretera de Valencia.

Cabrero había tenido la precaución de proveerse de unas mantas pero ni arrebujados en ellas conseguimos quitarnos el frío glacial que impregnaba el ambiente.

Eran las once cuando llegamos a Arganda.

—A este paso no vamos a dormir en Valencia.

—El firme está muy malo —replicó Cabrero— y no quiero arriesgarme a reventar una rueda en un bache.

—¿Cómo andamos de neumáticos?

—Regular; he querido comprarlos nuevos pero no los he encontrado. Gracias a eso me han rebajado el precio del auto; me pedían sesenta.

En la plaza mayor nos paramos en una gasolinera.

—¿Pero no decía usted que el tanque iba lleno?

—Cogeremos gasolina siempre que se pueda; aunque sólo sean cinco litros. No sabemos dónde podremos encontrar más.

Bajamos del auto pataleando para entrar en calor.

—¿Y si tomáramos algo?

La idea me pareció excelente; yo estaba en ayunas desde el mediodía anterior. Nos dieron un café pasable —por lo menos nos metíamos algo caliente en el cuerpo— y, eso estuvo mejor, las afamadas tortas de la localidad. Algo reconfortados volvimos al auto. Cabrero le dio ahora más alegría al volante:

—A partir de aquí hay menos tráfico y la carretera está mejor. Entre Arganda y Madrid hay mucha circulación, sobre todo de camiones que van cargados a tope para aprovechar el porte y machacan el firme.

(Lo que Cabrero llamaba eufemísticamente «el firme» era un adoquinado montuoso y desigual.)

Pero el café no había bastado para animarnos. Seguíamos taciturnos, quizá impresionados por la aridez del paisaje y el aspecto desolado de los pueblos que íbamos atravesando. A la entrada de Tarancón nos detuvo un control. Varios milicianos, armados con mosquetones y pistolas, nos cerraron el paso plantándose en mitad de la carretera. Uno, que sería el jefe, se acercó a nosotros:

—Los salvoconductos.

Le mostramos nuestras documentaciones. Las examinó parsimoniosamente, dándose importancia, y nos las devolvió:

—No se puede pasar.

—¿Por qué no se puede?

—Porque no.

Fajardo se encaró con él:

—¿Y quiénes sois vosotros para impedirnos el paso?

—Las milicias de la Libertad defensoras de la República —soltó con frase rimbombante.

—Pues mejor la defenderíais pegando tiros en el frente y no aquí tocándoos las pelotas.

—Ten cuidado, camarada, con lo que dices.

—Ten cuidado tú —replicó Fajardo encañonándole con una pistola— estamos armados y nos dejáis pasar por tas buenas o hacemos una sarracina.

El miliciano se hizo atrás.

—Tira —le dijo Fajardo a Cabrero.

Yo temblaba al pensar en unos balazos atravesando la carrocería posterior del Hispano. Fueron instantes de gran tensión. Cuando ya estuvimos lejos Orduña explotó:

—Oiga, Fajardo: cuando quiera jugarse la vida juéguesela usted solo. Han podido a acribillarnos.

—Yo sé cómo tratar a esta gente. Con toda su bravuconería, en el fondo son gallinas mojadas.

—Precisamente los gallinas son los que disparan por la espalda.

—Además, ¿qué otro recurso teníamos?

—Tiene razón Fajardo.

—Pues yo estoy con Orduña.

—Bueno; déjenlo ya.

—¿Por qué vamos a dejarlo?

Era tal nuestro estado de ánimo que solamente hablábamos para pelearnos. Los siguientes kilómetros no se pronunció una palabra.

—Son las dos —dijo Cabrero— la hora de comer.

En el primer pueblo la fonda estaba cerrada; y lo mismo en el siguiente. Eran las tres cuando llegamos a un tercer pueblo, ateridos y hambrientos.

—Hay que comer aquí como sea.

En la travesía solitaria vimos a un viejo envuelto en una manta y con la gorra encasquetada hasta las orejas que, impulsado por el frío, caminaba con un trotecillo torpe.

—Oiga, maestro ¿Dónde está la fonda?

Hubo que repetirle la pregunta. Por fin reaccionó:

—Acá fonda no hay, pero se me hace que en Ca'la Justa echan de comer.

—¿Y dónde queda eso?

El vejete mostró un aire de perplejidad. Se levantó la gorra y se rascó la cabeza:

—Pues no sé cómo decirles a ustedes.

Esperamos pacientemente a que aclarara sus ideas mientras seguía rascándose el colodrillo.

—Echen ustedes p'atrás y en la segunda esquina está La Justa.

—¿No te fastidia? ¡Tanto pensar para eso!

—¡Chist, que le va a oír!

—¡Gracias, abuelo!

—¡Con Dios! —respondió.

—En estos pueblos no se han enterado todavía de que Dios no existe.

En casa de la Justa no había signos exteriores de su función; por eso la habríamos pasado de largo; pero a través de unos ventanales entrevimos una gran pieza con mesas y un mostrador. Entramos. Un fuego de leña que crepitaba en una esquina nos atrajo y nos agrupamos a su alrededor frotándonos las manos. No había nadie. Dimos unas palmadas y asomó un hombre mal encarado que respondió con un gruñido hosco a nuestro saludo.

—¿Podemos comer?

—No.

—¿Por qué no?

—Porque no hay qué.

Nos quedamos desconcertados.

—Pero, ¿nada, nada? —insistió Domínguez.

—No.

Tras unos instantes, Fajardo preguntó:

—¿Y de beber?

—Aguardiente.

—Pues vengan unas copas.

—Por lo menos mataremos el gusanillo —intentó consolarnos Fajardo.

—El mío es una pitón.

El hombre se había metido por donde salió.

—A este cabrón no le da la gana darnos de comer. ¿Cómo no va a tener nada? ¿Es que él no come?

—A punta de pistola teníamos que sacarle la comida.

—Tengamos la fiesta en paz.

—¡Carajo con la fiesta! ¡Menuda fiesta! En ayunas...

Y entonces apareció ELLA.

Ella era la mujer más bella que he visto en mi vida. Y no sólo por los rasgos perfectos de su rostro y las proporciones de su figura; poseía además un aire de distinción propio de una duquesa rusa o de una princesa nórdica de las de antes. Era inimaginable el que semejante diosa apareciera en un pueblo perdido de La Mancha. Me quedé atónito contemplándola, subyugado ante aquella visión del paraíso. Aquel ángel me inspiró una frase que podría haber aplicado a una poesía: «Era una mujer tan bella que su sombra quedaba del lado del sol.»

Sirvió las copas con aire digno, majestuoso, pero exento de toda presunción, con sencillez, y se retiró sin decir una palabra.

—Guapa moza —comentaron mis compañeros. Pero pienso que solamente habían captado su belleza física, no el aire de serena distinción que emanaba de ella.

—¿Y usted no bebe, Domínguez?

—Temo que me caiga mal al estómago.

—Los obreros se desayunan con una copa de cazalla.

Pero no logramos convencerle. Luego departimos con desánimo sobre lo que convendría hacer.

Entretanto, ella había vuelto a aparecer y se había quedado junto a la puerta mirándome fijamente. Al mirarla yo, volvió a entrar. Momentos después salió en compañía de una mujer mayor que debía ser la Justa. Ésta se dirigió a nosotros:

—¿Quién de ustedes es el Cantor de Madrid?

Los otros me señalaron; yo no tenía ganas de contestar.

—Mi sobrina le ha conocido la voz.

—¿Oyen ustedes Unión Radio?

—Pues claro. ¿Y adónde van ustedes?

—Lejos.

—¿No van a quedarse en el pueblo?

—No.

Respondíamos con el mismo laconismo con que nos habían recibido ellos.

—¿Y no querría usted cantarnos una canción?

—¿Con el estómago vacío?

(Si me lo hubiera pedido ella yo la habría cantado.)

Entraron las dos. Ya nos disponíamos a marcharnos cuando asomó el mesonero o lo que fuera el cateto que nos recibió. Dirigiéndose a mí pronunció estas palabras que me sonaron a música de ángeles:

—¿Hacen unas migas con torreznos y huevos fritos?

—Para todos —estipulé en cuanto reaccioné.

—Digo —respondió.

Un cuarto de hora después contemplábamos maravillados la mesa repleta de huevos fritos, torreznos, las migas, dos hogazas de pan y un porrón de vino. Caímos sobre el condumio como marineros sobre putas. En cuestión de minutos desapareció todo.

—¿Otra ronda? —preguntó el mesonero.

—¡Venga!

Sacó después un café de recuelo que mezclado con el aguardiente daba un carajillo muy reconfortante. Y hasta hubo farias.

Absortos en el banquete no advertimos que la sala iba abarrotándose de gente. Se había corrido por el pueblo la voz de que en «Ca'la Justa» iba a cantar el Cantor de Madrid, y allí habían acudido todos. Apuré mi copa y dije:

—Lo convenido es deuda. Y salí en busca de mi guitarra.

No sé cuántas canciones canté. Aplausos y peticiones de bises sonaban continuamente. Mis compañeros, felices por el banquete, coreaban mis canciones. El ambiente era de gran fiesta, como seguramente no habían conocido en aquel pueblo. Al fin Fajardo reclamó silencio:

—Bueno, amigos, hay que marcharse; tenemos que dormir en Valencia.

—¡La última! ¡La última! —reclamaron todos.

Y como colofón improvisé una canción amorosa dedicada a aquella mujer, que empezaba:

> Por reunirse con su esposa
> Orfeo bajó al Infierno;
> Yo, por estar a tu lado,
> Abandonaría el Cielo.

Canté sin dejar de mirarla mientras ella, ruborizada, bajaba los ojos. La despedida fue de lo más efusiva. Mis compañeros abrazaron a todos los del pueblo dedicándose unos a otros las expresiones más afectuosas. Yo estreché fuertemente la mano de ella:

—Esa canción se la he dedicado a usted —dije en voz baja.

Bajó los ojos y musitó:

—Gracias.

Era la primera y la única palabra que le oí; el timbre de su voz también era inolvidable. Estuvimos en silencio, con las manos cogidas, hasta que una llamada de mis compañeros me sacó del éxtasis.

—¡Eh, Castro! ¡En marcha!

Ella levantó los ojos clavándome una mirada abrasadora; no sé cómo pude arrancarme de allí.

—Volveré —le dije en voz baja.
Pero nunca pude hacerlo.

El narrador hizo una pausa en que el silencio del hotel se percibía como algo abrumador. Bebió un trago y siguió.

Capítulo VIII

LEVANTE

Mis compañeros exultaban al dirigirse al automóvil. Eran otros hombres, por completo diferentes a los que antes de comer mostraban la taciturnidad más pesimista. Fajardo les paró en seco:

—¡Un momento! Este banquete se lo debemos a nuestro amigo Gabriel Castro ¡Tres vivas por él!

—¡Viva Castro! ¡Viva! ¡Viva!

—Propongo —siguió diciendo Fajardo— que fundemos una fraternidad entre los cinco. Y, para empezar, que nos tuteemos todos.

Su propuesta fue aclamada. Juntamos las diez manos como chiquillos:

—¡Uno para todos y todos para uno! —la euforia se desbordaba.

—De qué poquito depende la felicidad —pensaba yo— Una buena comida y todos tan contentos ¡Con lo sencillo que sería hacer dichosos a todos los hombres!

Entramos en el auto. Ahora los cuatro hablaban al mismo tiempo. Yo, silencioso, pensaba en lo feliz que habría sido quedándome a vivir en aquel pueblo, casado con ella, cuidando del campo y del ganado en una placidez bucólica ajena al vértigo y los traumas de la vida ciudadana. Quizá sintiera también la nostalgia del pueblo que me vio nacer y donde transcurrió nuestra infancia. Como si adivinara mis pensamientos, Domínguez me dijo:

—Bien te miraba la moza, ¿eh? Los otros lo confirmaron:

—Pues tú tampoco la mirabas mal.

Y siguieron con su cháchara locuaz mientras yo pensaba que ni siquiera conocía el nombre de ella ni el del pueblo que acabábamos de dejar.

En el resto del viaje hasta Valencia no hubo más incidente que un pinchazo entre Utiel y Requena. De haberse producido antes de la comida habríamos blasfemado, pero en el estado de euforia en que nos hallábamos lo asumimos deportivamente.

—En un viaje tan largo es lo menos que podía ocurrirnos. Nos bajamos todos para estirar las piernas.

—¡La madre que lo parió! —exclamó Cabrero— el gato no funciona.

—Verás tú si funcionan estos gatos. ¡Aúpa!

Y entre los cuatro levantamos una esquina del Hispano.

—¡Hostias! —dijo Cabrero— ¿Qué tenían esos huevos fritos? ¿Trilita?

Llegamos a Valencia anochecido. Allí había de cambiar nuestra suerte. Recorrimos inútilmente varios hoteles y pensiones sin conseguir habitaciones. Los valencianos no debían querer alojar a los viajeros procedentes de Madrid, escarmentados por el comportamiento de los jerifaltes del gobierno central, sus secuaces y acólitos, presentados con una prepotencia y unas ínfulas que no parecía haber rebajado su vergonzosa retirada, la cual no era óbice para que jerifaltes y secuaces proclamaran su fe en la victoria incitando a los demás a combatir en los frentes mientras ellos continuaban su periplo a Cataluña para estar más cerca de la frontera.

—Si continuamos buscando, van a cerrarnos los restaurantes. Vamos a cenar y después seguiremos.

Pero los restaurantes estaban cerrados o recogiendo. Mis compañeros intentaron una estratagema:

—Que viene con nosotros «El Cantor de Madrid».

—¿Y eso qué?

—¿No le conocen ustedes? Pues es el cantante de moda. Si nos dan de cenar cantará unas canciones.

—Ni que fuera Angelillo, ché; no hay cena.

Más cansados que hambrientos renunciamos a seguir buscando.

—Ya desayunaremos mañana. Ahora lo importante es encontrar un sitio donde pasar la noche.

Y lo encontramos en la nave de una iglesia abandonada. Los saqueadores habían dejado cinco bancos, así que teníamos uno para cada uno de nosotros. El resto estaba completamente desmantelado, lleno de escombros y desechos y el suelo cubierto de cagarrutas; se conoce que alguien había estabulado ovejas allí.

Las mantas nos sirvieron de poco; si las tendíamos sobre el banco, a manera de colchón, nos pelábamos de frío; y si nos cubríamos con ellas se nos clavaba el banco en los huesos. Y encima había pulgas.

Nos levantamos al amanecer, ojerosos, molidos y hambrientos; y sin tener donde lavarnos.

—¡Vaya nochecita!

—No; si con la Iglesia no puede haber nada bueno.

—Pues ¡hala! A desayunar.

Eso tampoco resultó viable; los cafés estaban cerrados.

—¿A qué hora abren?

—A mediodía si no hay huelga de camareros. En Valencia nadie madruga ¿para qué?

Pasaba un chico empujando un carrito de mano cargado con melones de cuelga.

—Chaval: véndenos un par de melones.

—No.

—Te daremos un duro.

—Els diners ya no aprofiten.

Fajardo, exasperado, perdió la paciencia:

—Mira: si quieres coger el dinero lo coges y si no, no. Miguel: elige dos melones.

Y de nada le sirvieron al chico sus protestas.

Nos fuimos a comerlos a unos jardinillos y nada más acabarlos reanudamos el viaje no queriendo detenernos más tiempo en una Valencia que tan mal nos había acogido. Por cierto, que allí vimos una estatua de San Vicente Ferrer a quien se había representado con el brazo levantado y con dos dedos extendidos en ademán evangélico. A la mano le habían cercenado esos dedos, con lo cual el santo parecía saludar puño en alto, y en el pedestal habían escrito: «Este es de los nuestros.» Hasta en los momentos más desoladores ocurre algo chistoso.

No tardamos en descubrir que el frío de la fruta no les había caído muy bien a nuestras tripas vacías; hasta llegar a Castellón no sé cuantas veces tuvimos que detenernos; cuando no era uno era otro. Y llegamos al anochecer a Barcelona después de haber comido, y muy mal por cierto, en Tortosa. La guerra parecía haber exacerbado el egoísmo de la gente; en todas partes se percibía como un espíritu cantonal, rechazándose a los forasteros y negándoles hasta el pan que sólo lo daban a regañadientes. Gran parte de culpa había que achacársela al gobierno de Madrid que en su tránsito hacia Cataluña había dejado mal sabor de boca, y a nosotros, visto el lujoso automóvil, nos tomaban por miembros de él.

Llegamos, pues, a Barcelona y lo primero que hicimos fue buscar alojamiento que no fuera eclesiástico. A pesar de que, según se decía, había un millón de refugiados en Barcelona, no tuvimos problema; en el primer hotel que preguntamos había habitaciones. Corrimos luego a buscar un restaurante y lo mismo; nos aceptaron sin dificultad en una casa de comidas:

—¿Qué hay para cenar?

—Cap i pota.

—¿Y eso qué es?

—Pues cap y pota.

Enterados.

—Pues venga la «capipota» sea lo que sea.

Y lo que resultó ser fue una mezcolanza de morros y manos de cerdo al estilo de los callos madrileños que nos supo a gloria, quizá por la salsa que llevábamos con nosotros.

Antes de recogernos dimos un paseo. Las calles ostentaban un sinfín de carteles incitando a la resistencia: «En Catalunya morirá al fascisme», «Catalá: resistir es venser», «El Llobregat devindrá el Manzanares de Catalunya» y otros por el estilo. Pero, según comprobamos los siguientes días, toda esa propaganda bélica caía en el vacío. En Cataluña reinaba una desmoralización total y no había la menor voluntad de resistir. Los catalanes tienen un gran sentido práctico y no se dejaban engañar por los cantos de sirena del gobierno. Unos, los obreros pertenecientes a sindicatos revolucionarios y los catalanistas fanáticos, estaban planeando ya la retirada hacia la frontera francesa; los otros, los burgueses que habían visto amenazados sus bienes e incluso sus vidas por las izquierdas desmandadas esperaban la llegada de los nacionales, aunque se abstuvieran de manifestarlo, como agua de mayo. Era la consecuencia de actuaciones como las de aquellos bandidos incontrolados que proliferaron en la República y que tanto la perjudicaron. En Barcelona había un tal Ramón Chamorro, alias «El Murciano», uno de tantos delincuentes comunes que aprovechando la falta de autoridad del gobierno cometían toda clase de desmanes. Según me contaron, el tal individuo había formado una banda con cinco de su calaña que, entre otras fechorías, se dedicaban a extorsionar a los tenderos. Entraban los seis en un colmado exhibiendo sus armas y exigían al dueño que les entregara sus mejores géneros, según decían, para los combatientes del frente, dándole a cambio unos vales que ellos mismos confeccionaban. Si el tendero intentaba resistirse le llamaban fascista, quintacolumnista, acaparador y otros insultos amenazadores. El botín lo trasladaban luego en un auto requisado a su cuartel general, la mansión de un prócer que se había fugado al extranjero. Cuál sería la cantidad de jamones de que se habían apropiado que la casa era conocida popularmente como «El Palau del Pernil». Pues bien; hubo un tendero que, exasperado al ver que iban a arruinarle, les hizo frente con una escopeta y los seis valientes perdieron el culo, pero una semana después apareció el tendero con un tiro en la espalda. En el Palau del Pernil organizaban aquellos bandidos unas orgías con putas y otros facinerosos como ellos, hasta que un día tuvo la CNT noticias del asunto y, escandalizados los anarquistas, irrumpieron allí y se cargaron a todos excepto a Chamorro que pudo esconderse. Según otra versión, es que consiguió el perdón de los cenetistas a cambio de traicionar a sus compinches, Cosas así eran las que habían indispuesto a las clases media y alta contra la República y, salvo los separatistas acérrimos, anhelaban vuestra llegada.

—Robert Cappa inundó el mundo con unas fotografías patéticas del éxodo republicano hacia la frontera de Francia; y el mundo se creyó que esos eran todos los catalanes. Pero lo que Cappa no fotografió fue el recibimiento jubiloso que nos dispensaron al entrar en Barcelona. Siempre los menos se han atribuido la totalidad.

—Yo no lo vi pero te creo.

Bien; pues en Tarragona habíamos reventado un neumático y, al llegar a Barcelona, Cabrero, escamado, revisó las cámaras descubriendo que las cinco restantes tenían más parches que una sifilítica. Tras algunos comentarios piadosos sobre «el hijo de la Graham Paige» que le había vendido el automóvil, nos dijo que era milagroso el que hubiéramos podido llegar hasta allí y que no había que tentar a la fortuna arriesgándonos a alcanzar Francia con esas cámaras. Así que hubo que buscarlas nuevas, lo que retrasó varios días la reanudación del viaje. Por fin encontró cuatro en un almacén de Pueblo Nuevo, pero al ir a pagarlas no le aceptaron el dinero y por su reloj de pulsera le dieron solamente dos. Al volver al día siguiente con más relojes le dijeron haber vendido ya las otras dos cámaras pero que no tardarían en recibir más. Y estábamos esperándolas cuando nos enteramos de que habíais alcanzado el Mediterráneo partiendo en dos la República. La radio republicana anunció que las tropas leales habían rechazado victoriosamente un intento de penetración de los facciosos en Vinaroz ocasionándoles numerosas bajas y cuantiosas pérdidas de material; estaba claro que había ocurrido lo contrario.

Bueno; pues nos hallábamos discutiendo sobre la conveniencia de seguir o no con las cámaras que teníamos, cuando supimos que los franceses habían cerrado la frontera. Estábamos atrapados.

Un señor de edad entró acompañado de una muchacha de aspecto inequívoco. Al ver a los dos testigos hizo un gesto de contrariedad y empujó precipitadamente a la chica al ascensor.

Los dos castros, que habían presenciado la escena se miraron en silencio y, sin hacer ningún comentario, soltaron la carcajada.

Capítulo IX

EL ADIÓS

Los días siguientes los pasaron mis compañeros metidos en cafés, que les parecían los centros de información más fiables, a la caza de noticias sobre una próxima apertura de la frontera francesa. Y lo único que consiguieron fue que les calentaran la cabeza con una serie de bulos y rumores: que si, por fin, Francia estaba decidida a intervenir; que la República planeaba un ataque de distracción en Málaga para aliviar la presión sobre Cataluña; que la guerra en Europa estaba a punto de estallar; que si Negrín, que si los comunistas... ¡Qué sé yo! Todo menos lo que iba a ser realidad: la ofensiva del Ebro.

Yo, entretanto, me dediqué a pasear Barcelona. Vi muchas iglesias quemadas y también que intentaron prender fuego a la Sagrada Familia a fuerza de bidones de gasolina ignorando, al parecer, que la piedra no arde. Uno de estos paseos me llevó hasta una iglesia en el barrio de Gracia donde vi que entraban muchos milicianos. Intrigado, me metí yo también. Y así fue como conocí al «Cura de Gracia». Esta denominación, que parece corresponder a un sacerdote iluminado por el Espíritu

Santo, se la había adjudicado burlonamente la *vox populi* a un anarquista que tenía por costumbre encaramarse al púlpito de aquella iglesia y lanzar desde allí fogosas arengas. La que yo te escuché decía:

—«La Iglesia Católica es la iglesia del odio. Enmascarada bajo un burdo disfraz de caridad hacia el prójimo, lo cierto es que su propósito es ocasionarle el mayor daño posible. Con la hipócrita artería de que su misión es procurarle al Hombre la felicidad eterna en el Más Allá, y que eso lo ha de conseguir mediante una existencia de privaciones, le veda cuanto hay de placentero en este mundo y encima le impone mortificaciones y penitencias. ¿Dónde puede encontrar placer el ser humano?: En la cama y en la mesa. Pues bien; los placeres de la cama, ya que la Iglesia no puede prohibirlos absolutamente, los condiciona con las más penosas restricciones: el matrimonio indisoluble y la procreación obligatoria. De esa manera consigue castigar a las parejas por sus momentos de felicidad porque sabe lo ingrato que puede ser aguantar a un cónyuge toda la vida, y las estrecheces a que dará lugar el cargarse de hijos. Con los placeres de la mesa actúa igualmente proscribiendo ayunos y abstinencias ¿Qué daño hace un hombre por comerse una chuleta? El mismo que una pareja solazándose amorosamente: ninguno. Pero la Iglesia no tolera ningún disfrute; le subleva, le escuece, le enrabieta y dice que es pecaminoso. Y ensalza y enaltece las penitencias, el ayuno, las disciplinas refocilándose con el dolor ajeno.

Los que considera pecados imperdonables son los atentados contra la infelicidad: el suicidio, la eutanasia y el aborto. El que un hombre, harto de sufrir se quite la vida le enfurece; ella quiere que se fastidie, que padezca, que no pueda poner fin a sus penas. Y lo mismo ocurre con la eutanasia: no hay que ahorrarle sufrimientos a nadie. En cuanto a la condena del aborto, la disfraza hipócritamente autoproclamándose paladín del derecho a la vida. Pero el Hombre no tiene derecho a la vida; a lo que tiene derecho es a la felicidad. ¿Y qué felicidad le espera a un niño que nace sin padre y aborrecido por la madre? Para la Iglesia, mejor que mejor; que sufra ella expiando sus momentos de placer y que sufra también la criatura inocente. Pero además la Iglesia extrema su saña hasta prohibir el parto sin dolor; y las infelices que han padecido lo indecible al dar a luz acuden luego a reverenciar a los sádicos que se han regodeado con sus sufrimientos. ¡Increíble!

Y si la Iglesia actúa con esa inquina hacia sus fieles. ¿Qué hará con sus detractores? Atacarles con la saña más despiadada. Las guerras de religión, la quema de herejes, las torturas de la Inquisición, la expatriación de judíos y moriscos, son el testimonio histórico de una cruel ferocidad disfrazada con una máscara de piedad y altruismo. Y así, con esa malignidad lleva veinte siglos dominando a una Humanidad estúpida y borreguil sometida de buen grado a una institución que la proscribe cuanto hay de placentero en este mundo y le impone además sufrimientos gratuitos.

La decadencia de España comenzó cuando se puso al servicio de la Iglesia; y la hegemonía de Inglaterra cuando puso la Iglesia a su servicio. La Iglesia ha sido para España como la querida que arruina al mancebo enamorado, pagando con la más ruin ingratitud y la traición la ayuda que España siempre le dispensó. Recordad aquellas palabras de Machado: «Nosotros militamos contra una sola religión que juzgamos irreligiosa; la mansa y perversa que tiene encanallado a todo el Occidente.»

Así hablaba «El Cura de Gracia».

Cuando entrasteis en Barcelona fueron a buscarle unos requetés. Les recibió pistola en mano y les dijo: «La vida podríais quitarme pero la muerte no.» Y se pegó un tiro.

—Era un hombre consecuente. Rara avis en un mundo donde todos dicen una cosa y hacen otra.

—Como iba contándote, me dediqué a pasear Barcelona y un anochecer me encontré con Pablo Sorozábal a quien yo había conocido meses atrás, en Madrid, cuando una representación de su zarzuela *Katiuska*. La función había sido organizada por no sé qué asociación libertaria, una de tantas como habían proliferado en la España republicana que obviamente no conocía el argumento de la obra y, si lo conocía, no lo había entendido; los promotores del acto, extremando la igualdad a identidad, decidieron que todos los intervinientes cobraran lo mismo: cantantes, coros, orquesta, tramoyistas, acomodadores... Se enteró el tenor que iba a cantar el papel de Pedro Stakof e, indignado, dijo que si iba a cobrar lo mismo que un tramoyista que cantara el tramoyista. Y les dejó plantados cuando no había materialmente tiempo para buscar un sustituto. Entonces, algún insensato tuvo la ocurrencia de proponerme el papel a mí —yo estaba entonces en la cima de mi popularidad y pensaron que mi nombre serviría de reclamo para llenar el teatro, como así fue— y otro insensato incurrió en la temeridad de aceptar. Tiempo atrás yo había tenido una novia que cantaba en el coro de la Zarzuela y me colaba todas las noches en el teatro donde se representaba *Katiuska,* con lo cual me la había aprendido de memoria; y no hubo lugar a contrastar mi capacidad en los ensayos porque los músicos de la orquesta se habían negado a ensayar diciendo que para lo que les pagaban bastante hacían con tocar en la representación y que, si los organizadores querían ensayos que los hicieran con los acomodadores, que para eso ganaban lo mismo. Total; que debuté en escena el día de la función sin haber siquiera ensayado, fiado en que me conocía la obra de memoria. Dirigía a orquesta el propio Sorozábal y pude ver las miradas terribles que me lanzaba durante la función. En el descanso me abordó iracundo:

—¿Pero quién le ha dicho a usted que sabe cantar?

—Maestro, el público ha aplaudido.

—¡Me cago en el público! El público no entiende de música.

Y gracias a eso, a que el público no entendía de música, la representación terminó con un éxito rotundo que, sin embargo, no bastó para contentar a Sorozábal.

Al encontrármele en Barcelona le vi aparecer con cara de pocos amigos, a pesar de lo cual me arriesgué a saludarle:

—¿Cómo está, don Pablo?

—¿Quién es usted? —me espetó bruscamente.

—¿No me recuerda? Yo casi le echo a perder una representación de *Katiuska* en Madrid.

—Y me la echó usted, ahora me acuerdo —dijo malhumorado— ¿Qué le trae por Barcelona? ¿Va usted a cantar *Parsifal* en el Liceo?

—¡Hombre, don Pablo...! —dije dolido.

—Es que traigo un cabreo... Vengo de dirigir un concierto en el Liceo; en el entreacto he ido a saludar a Azaña y a Companys y me los he encontrado, los dos solitos en un palco, inflándose de bombones ¡Habiendo tanta hambre en la República!

—¿Qué quería usted que hicieran? Por dejar de comer unos bombones no iba a remediarse el hambre en España.

Pero Sorozábal no me escuchaba:

—Como Casals ¡Otro que tal! Le contrataron para dar un recital ante los niños de un colegio; al terminar le sacaron un pollo asado y no le dio ninguna lacha comérselo enterito ante las miradas famélicas de los chavales.

—Le digo lo mismo; repartiéndolo entre todos, apenas habrían tocado a una miaja cada uno.

—¡Ah! ¿Pero usted entiende así las cosas? ¡Váyase a hacer puñetas, hombre!

—Tenía mal genio don Pablo.

—Como Wagner. Se le parecía en eso y en llevar boina.

Entretanto transcurrían las semanas y la frontera no se abría, cuando, para sorpresa de todos se desencadenó la batalla del Ebro cuyas incidencias seguimos anhelantes. El éxito inicial nos hizo concebir las mayores esperanzas y pienso que de haberse mantenido la victoria habríamos conseguido negociar una paz de compromiso, no rendirnos, como acabaría ocurriendo, a una capitulación sin condiciones.

—Es posible; en la España nacional estábamos hartos de la guerra y un revés de Franco hubiera cuestionado su jefatura. Algunos militares se mostraban disconformes con su manera de conducir las operaciones: premiosa, insegura, timorata... También Hitler y Mussolini estaban aburridos de «la parsimoniosa gesta», como llamaban algunos a la «Cruzada» e incluso tomaron iniciativas ofensivas sin contar con él. Y algunos pensaban en negociar la paz de una vez.

—Pero no con «Los Trece Puntos» de Negrín. A mí me recordaron aquel chiste del portugués que está ahogándose en el fondo de un pozo y a uno que está fuera le dice: «Si me sacas del pozo te perdono la vida.» En conclusión, la batalla del Ebro, como sabes, terminó en una debacle nuestra. Aquello había sido el canto del cisne de la República. Ya sólo quedaba decir, como los catalanes, «plegan», cuyo equivalente castellano es «apaga y vámonos». Y eso hicimos nosotros cinco porque los franceses habían abierto ya la frontera.

Teníamos cámaras nuevas, así que nos pusimos en camino. En la carretera aparecían grupos de fugitivos que marchaban a pie o en carros atestados con sus modestos ajuares. Era una visión patética la de aquellas pobres gentes caminando agobiados por el peso de sus míseras pertenencias. Y yo, recordando mi vuelta de Toledo, sabía muy bien lo que suponía caminar kilómetros y kilómetros. Nuestro estado de ánimo, conturbado además por la presencia de aquellos infelices, era de lo más negro. Al cruzar Figueras dejando a un lado unas antiquísimas fortificaciones conservadas por su carácter histórico quise aliviar el humor de mis compañeros refiriéndoles una anécdota que me había contado Luis de Oteyza y que el porvenir no tardaría en hacer buena: «Llegaba en tren, procedente de Francia, un español en cuyo apartamento viajaban unos franceses que al ver esas defensas prorrumpieron en carcajadas y le dijeron insidiosamente, con risitas de conejo:

—No pensarán ustedes detener al ejército francés con esas fortificaciones.

—Esas fortificaciones —replicó el español— no están ahí para detener al ejército francés sino al ejército alemán.

Mis compañeros sonrieron de mala gana. No estábamos para humoradas. Poco después ocurrió algo que hubiera sido previsible. Nada más salir de Figueras, unos fugitivos, extenuados por la larga caminata, asaltaron el Hispano pretendiendo montarse. Se subieron en los estribos, en el guardabarros, en el maletero.

—¡Van a reventar los neumáticos! —gritó Cabrero aterrado.

Se entabló una batalla campal. Ni apuntándoles con las pistolas ni disparando al aire logramos espantarles, tan grande era su desesperación, y no nos dejaban pasar, encerrándonos amenazadoramente en un círculo.

Fajardo levantó la voz:

—¡Escuchad! Es imposible llevaros a todos; llevaremos a dos: ustedes.

Y señaló a una anciana y a una mujer embarazada que se acomodaron estrujándonos a los demás. Así conseguimos que nos abrieran paso. Unos kilómetros más adelante estando la carretera solitaria, Fajardo le dijo a Cabrero que parara; se bajó del auto y abrió las portezuelas:

—¡Fuera!

A tirones sacó a las dos mujeres que lloraban y gritaban.

—Tira —le dijo a Cabrero.

—¿Por qué has hecho eso? —le pregunté.

—Hemos dejado en Madrid a nuestra familia y a nuestros amigos y no vamos a cargar ahora con unas desconocidas.

Preferimos callar.

Yo pensaba que lo peor de las guerras no es sólo el enfrentamiento con el enemigo sino el que la necesidad nos obligue a actuar hostilmente con los que están a nuestro lado; pero el instinto de conservación nos empuja al más despiadado egoísmo aunque también, por contraste, se dé el altruismo más abnegado como tendría ocasión de comprobar personalmente.

Siguiendo el viaje, observé que la carretera estaba flanqueada en sus cunetas por una serie de equipajes abandonados: maletas, mochilas, bolsas... Sus poseedores, extenuados por una caminata que parecería no tener fin, se habían visto obligados a desprenderse de ellos al no sentirse con fuerzas para continuar cargándolos. La muda presencia de aquellas pertenencias resultaba tan patética como hubiera sido la visión de la caravana de sus propietarios. Entre otras cosas, llamó mi atención un paraguas ¡Qué cansado se necesita estar para no poder soportar un peso tan leve!

Un rótulo anunció que la frontera quedaba a pocos kilómetros.

—Para un momento —dije yo— vamos a despedirnos.

La carretera bordeaba el mar; Cabrero detuvo el auto junto a un acantilado. El sol del crepúsculo enrojecía las copas de los pinos. El mar en calma parecía una balsa; apenas susurraba la brisa entre los árboles. La naturaleza respiraba una profunda placidez y, sin embargo, no lejos de allí retumbarían cañonazos.

Quedamos en silencio mirando a nuestro alrededor como queriendo empaparnos de la tierra que íbamos a abandonar. Domínguez cogió un puñado y, pensativo, lo dejó deslizar entre los dedos.

—Esto parece un funeral; vais a hacerme llorar —dijo Fajardo pretendiendo disimular su emoción con esa socarronería.

—Vamos a tirar nuestras pistolas —propuso Orduña— ya no nos servirán para nada, aparte de que en la frontera nos las requisarán Y no vamos a dejarles armas a esos franceses que no han querido facilitárnoslas.

De la superficie del mar se elevaron cinco columnitas de agua en el lugar donde habían desaparecido las pistolas.

Ya no quedaba nada por hacer.

—Vamos.

Minutos después alcanzábamos la frontera.

PARTE III

EL EXILIO

Capítulo X

FRANCIA

El otro Gabriel llenó los vasos.

—Imagino vuestro estado de ánimo.

—Si no te han echado nunca de España no puedes imaginarlo.

Ante la frontera había una larga cola de refugiados. Los gendarmes los arrimaron a un lado para dejar pasar al Hispano. Avanzamos hasta un puesto de control donde nos hicieron señas de detenemos. Un gendarme se acercó al auto y nos dijo algo que no entendimos —ninguno de los cinco hablaba francés— pero que interpretamos como una petición de documentos. Le mostramos los nuestros, que examinó apenas, y siguió hablándonos en su idioma. Le dijimos que no comprendíamos, lo que le puso de mal talante y gritó.

—¡Les pistolets!

Eso sí lo entendimos y le contestamos por señas que no llevábamos. Nos hizo bajar del auto y en compañía de otro gendarme nos cacheó, registrando luego minuciosamente el Hispano. Después, el segundo gendarme se subió al auto, se puso al volante y lo condujo hasta estacionarlo bajo un tinglado cercano donde había otros automóviles. Y sin más se metieron los dos en el puesto.

Esperamos un largo rato, cada vez más impacientes. Fajardo abrió la puerta para informarse y sin escucharle le conminaron a salir. Transcurrió una hora. Los gendarmes entraban y salían del puesto pero ninguno atendía nuestras preguntas. Pasaban despectivamente sin siquiera mirarnos.

—Pero, bueno ¿hasta cuándo van a tenernos así?

Una voz sonó a nuestras espaldas:

—Buenas tardes, señores.

—¡Menos mal que alguien habla español!

Nos volvimos; ante nosotros un joven bien portado, elegantemente vestido con traje, corbata y sombrero (en la República habíamos perdido la costumbre de ver sombreros y corbatas, lo que podía costarle un paseo a quien se atreviera a llevarlos). Sonriente se presentó:

—¿Son ustedes los que han venido en el Hispano Suiza? Soy el asistente del cónsul ¿Puedo ayudarles en algo?

Respiramos aliviados.

—¡Claro que puede ayudarnos! Por lo menos sírvanos de intérprete; a ver si averiguamos por qué no nos dejan seguir.

—Esperen un momento.

Entró en el puesto; nosotros nos miramos tranquilizados. Al cuarto de hora salió:

—Ocurre lo siguiente —dijo bajando la voz e indicando que nos agrupáramos a su alrededor—. Los gendarmes tienen orden de requisar las armas a los refugiados. Los fusiles no les interesan y los entregan al ejército, pero las pistolas las venden en el mercado negro. Cuando les han visto aparecer a ustedes con ese auto se han relamido pensando que traerían por lo menos cinco pistolas, lo que les hubiera valido un pingüe botín; de ahí su desilusión al comprobar que no traían ustedes armas. Y lo han pagado con el Hispano. No es que me lo hayan dicho abiertamente; es lo que yo he deducido.

—¡Serán cabrones!

—¡Chist, que pueden oírle!

—¡Si no entienden el español!

—Eso es lo que usted se cree: lo entienden perfectamente, Pero no les da la gana hablarlo y hacen como que no comprenden cuando ustedes lo hablan. Su norma es que los refugiados hablen francés. Además, haciéndose los desentendidos se enteran de muchas cosas.

—¡Qué hijos de...! —empezó a decir Fajardo, y se calló recordando la advertencia.

—Bueno ¿y qué podemos hacer?

El ayudante del cónsul hizo un gesto de impotencia.

—Yo digo una cosa —intervino Orduña—. ¿Y si les damos el dinero que pensaban sacar por las pistolas?

—No lo aceptarían. Tienen que guardar las formas y se ofenderían mucho, aunque se lo quedarían como testimonio de un intento de soborno.

—Pues estamos apañados.

—Voy a consultarlo con el cónsul a ver si él puede hablar con el prefecto. Pero... —el ayudante del cónsul hizo con los dedos un gesto cuyo significado debe ser universal y puntualizó— el prefecto va a costar bastante dinero.

(Por lo visto al prefecto no el importaba guardar las formas.)

—¿Como cuánto?

—¿Cuánto traen ustedes?

—Bueno; el caso es que tenemos dinero pero no aquí; en París. Lo hemos enviado por delante para evitar los riesgos del viaje.

El ayudante del cónsul torció el gesto:

—Veré qué se puede hacer.

Y se marchó bruscamente desapareciendo al cruzar la columna de refugiados. Nos quedamos consternados.

—Ése no vuelve —dijo Orduña.

—¿Tú crees?

—¡Y tanto! Se ha enterado de que había llegado a la frontera un Hispano Suiza y se ha imaginado que vendrían peces gordos que traerían el riñón bien cubierto. Ha venido al husmillo de los cuartos a ver qué podía sacar y cuando ha visto que no había pasta ha cogido el portante; porque ese cuento de que la tela estaba en París no se lo ha tragado.

—Aquí el que no corre vuela.

—¿Y sería verdad eso de que es el ayudante del cónsul? ¿y que la pasta iba a ser para el prefecto?

—¡Vete tú a saber! ¡Menudo pájaro!

—¿Y qué hacemos ahora?

Anochecía y la temperatura había descendido rápidamente. Empezamos a patalear de frío. En el interior del puesto los gendarmes se traían la gran juerga. Desde fuera oíamos el ruido de descorchar botellas acompañado de grandes risotadas. Luego empezaron a cantar a coro una grotesca canción sobre un cura que llevaba un escapulario colgando por la espalda y que cada vez que se sentaba se le metía por el culo.

—¿Cómo supiste la letra si no entendías el francés?

—He oído esa canción años después y me la tradujeron. Y así pasaron minutos interminables. No sabíamos qué hacer. Todos pensábamos lo mismo pero teníamos la delicadeza de no manifestarlo; fue el propio Orduña quien lo reconoció:

—Si no hubiéramos tirado las pistolas...

Yo le eché un cable:

—Habrían inventado otra cosa para chafarnos.

El silencio de los demás ratificó mis palabras.

Decidimos meternos en el auto; por lo menos dentro de él pasaríamos menos frío. Pero llegó un gendarme y nos echó con cajas destempladas. Perdida la paciencia comenzamos a alborotar protestando. Salieron más, hablaron entre ellos, y uno nos hizo señas de acompañarle. Nos condujo hasta un barracón donde estaban hacinados los refugiados y se marchó. Era una gran nave, que debió haber servido de cuadra, con medio millar de camastros amontonados en el suelo alumbrada débilmente por unas lámparas de petróleo colgadas de las cerchas. Encontramos unos jergones libres y nos sentamos en ellos.

—¿Aquí no dan de cenar? —preguntamos a un refugiado.

—Ya han pasado; pero os hubiera dado lo mismo ¡Para lo que nos han echado!

Otra noche en ayunas.

Cerca de nosotros, un grupo de milicianos relataba su ida hasta allí. Se habían hecho acompañar de los presos fascistas del castillo de Montjuic para utilizarlos como rehenes por si las tropas de Franco les hubieran dado alcance. A la vista de la frontera y no siendo ya los rehenes necesarios les habían fusilado a todos.

En otro grupo se comentaba jocosamente la epopeya del coronel Mangada. Este militar republicano había partido de Madrid a la conquista de Ávila pero tuvo que dar marcha atrás en Navalperal porque la mayoría de sus hombres, que se habían hecho acompañar de un batallón de milicianas, estaban inútiles para el combate a causa de las enfermedades venéreas. Y entre los milicianos había circulado esta aleluya:

Si quieres purgaciones, camarada,
vete con la columna de Mangada.

Las autoridades republicanas habían prohibido decirla, y uno de los que referían el episodio había estado en prisión por ese motivo.

—Pues yo —intervino otro— me he cepillado un montón de libertarias, y ladillas me pegaron todas, pero ninguna purgaciones.

—Es que las milicianas son muy limpias.

Nosotros empezamos a debatir lo que se podría hacer pero se elevaron voces reclamando silencio y tuvimos que dejar la cuestión para el día siguiente. Tumbados en los camastros intentamos dormir nosotros también pero el hambre, el frío, la incertidumbre y, sobre todo, la indignación, apenas nos consintieron dar una cabezada.

A la mañana siguiente, unas viejas desgreñadas, sucias y malhumoradas repartieron un aguachirle para desayuno, después de lo cual y de visitar unas letrinas mugrientas y sin agua quisimos salir del barracón; un senegalés nos cerró el paso.

—Prefecto —se le ocurrió decir a Domínguez y sin más, nos dejó salir.

—Vamos a coger el auto y nos marchamos.

—No llegaríamos muy lejos; ya viste anoche.

—Pero, bueno; alguien habrá que les meta en cintura a estos gendarmes. No tienen derecho a apropiarse de nuestro automóvil ni a impedirnos seguir el viaje.

—Lo que ha dicho Vicente: el prefecto.

—¿Y dónde podrá verse al prefecto?

Nos enteramos, no sin grandes dificultades, de que tenía su despacho en Marsella.

—Pues vamos allá.

—¿Con qué dinero?

Lo poco que teníamos no llegaba para el viaje.

—Yo tengo unas joyas de mi madre cosidas en el forro de la cazadora —dijo Orduña. No tuvimos más remedio que aceptarlas.

Las casas de compraventa estaban haciendo su agosto en Cerbère. Como los bancos no cambiaban el dinero español, no les quedaba otro recurso a los refugiados que desprenderse de sus alhajas, y los usureros, explotando inicuamente su penuria, les pagaban unas cantidades irrisorias. Y encima ¡que modales! les trataban a baquetazos.

Esto ocurrió con las joyas de Orduña. Fajardo, furioso ante tan descarado expolio, quiso ponerse bravo, pero le convencimos de que no estábamos en situación de armar un escándalo.

Y nos fuimos a Marsella donde nos enteramos de que el prefecto había salido para Cerbère. ¡Cómo explicarte nuestro abatimiento!

—Aquí estamos perdidos —dijo Domínguez—. Vámonos a París; allí habrá representantes de nuestro gobierno que podrán ayudarnos.

—Si quieren.

—Pues no tenemos otra posibilidad. O eso o volvernos a España a que nos fusilen y acabar de una puñetera vez.

Como ves, estábamos más que desmoralizados.

—¡Sí que nos han tratado bien nuestros hermanos, los socialistas franceses!

—¿Sabéis lo que os digo? —anuncié yo— Que estoy harto de este país. Voy a ir al puerto y me largo en el primer barco; adonde sea; en cualquier sitio mejor que aquí. Si alguno se anima a venir conmigo...

Se quedaron sorprendidos e indecisos.

—¡Hombre! En París espero que se nos arreglen las cosas.

—Yo no.

—¿Y qué vas a hacer? ¿Cómo vas a pagar el pasaje?

—De pagar, nada. Me enrolaré en la tripulación como marinero o pinche de cocina o de lo que sea. O iré de polizón. Con tal de viajar gratis.

Mis amigos me acompañaron al puerto; no tenían otra cosa que hacer. Allí supimos que había una oficina para reclutar tripulantes. Me apunté y Orduña también aunque luego se echaría para atrás. Los otros sacaron billetes para París, dos días después. Me marché yo antes. Al día siguiente pasé por la oficina a ver si había novedad y me dijeron que un barco turco estaba a punto de zarpar con destino Méjico y escalas en Málaga, Funchal, San Vicente y Ciudad Trujillo. Se necesitaban marineros e hice mal en no preguntarme por qué no los había ya. La respuesta era el capitán; una mala bestia, un bucanero que trataba a sus hombres poco menos que a latigazos. Venía de Estambul y en Marsella le habían desertado algunos; de ahí su necesidad. Me contrató por una cantidad muy razonable, obviamente porque no entraba en sus cálculos el pagarme, y me embarqué satisfecho de haber encontrado tan pronto solución a mis problemas. Incluso pensaba, si me fuera bien, quedarme para los restos de marinero. No tardarían en desvanecerse esas ilusiones.

Me despedí de los compañeros. Nos abrazamos efusivamente deseándonos suerte y prometiendo escribirnos. Evocamos aquel banquete en el pueblo de La Mancha, nuestro último día feliz.

—¡Qué huevos fritos! No los he comido mejores en mi vida.

—¡Y qué torreznos!

—¡Y qué pan!

—Cuando volvamos a España iremos allí a celebrarlo.

¡Cuántas ilusiones perdidas!

Se empeñaron en darme algún dinero y me negué a aceptarlo; a ellos no les sobraba. Pero aprovechando un descuido mío me lo metieron en un bolsillo.

Subí al barco y no tardé en conocer la especie de canalla que era el capitán. Me hubiera bajado en el primer puerto si éste no hubiera sido Málaga. Desde la cubierta contemplaba nostálgico la bella ciudad andaluza en poder vuestro. Los otros marineros bajaron a tierra; alguno no volvió. Tampoco podía quedarme yo en Madeira ni en Castro Verde; Salazar se había mostrado enemigo de los republicanos y yo correría el riesgo de que me repatriaran.

Y llegamos a la República Dominicana.

—De aquí no paso —me dije.

Fui al camarote del capitán a anunciarle mi partida y a reclamarle mis haberes porque hasta la fecha no me había pagado. Me dijo que yo tenía contrato hasta Méjico —no había tal contrato, sólo un acuerdo verbal en el que no se había especificado la duración— y que, al incumplirlo yo, no estaba obligado a pagarme nada. Me pilló tan quemado por su maltrato que aquello fue la gota que desbordó mi ira. Le pegué un silletazo que le dejó *groggy* y cuando estaba en el suelo le registré los bolsillos encontrando una cartera repleta de dólares. Cogí estrictamente lo que me correspondía; hice el tonto al ser tan escrupuloso porque él me acusaría luego de haberle robado todo.

Así que recogí mis cosas y me marché renunciando para siempre a una vida marinera que había comenzado bajo tan malos auspicios.

Capítulo XI

REPÚBLICA DOMINICANA

Los castros quedaron callados ante el paso del sereno en su vuelta de inspección. Era el único signo de vida en el hotel. Luego volvió el silencio.

—Desembarqué en Ciudad Trujillo. Al poner pie en tierras de América mi patrimonio se reducía a la guitarra y dos mudas de ropa que llevaba envueltas en papel de periódico, y todo mi caudal a unas pocos dólares (los francos que mis amigos me colaron subrepticiamente en Marsella se los había quedado el cocinero del barco a cambio de unos extras con que suplementar un rancho de hambre). Un exiguo bagaje para acometer una nueva existencia. Me sentía como un potro salvaje recién nacido que a los pocos minutos debe ser capaz de ponerse en pie, y a la hora habrá de correr para salvarse del ataque de un predador. Pero el potrillo cuenta con la tutela de su madre y yo era como un potro huérfano.

Caminando a la ventura por las calles de Ciudad Trujillo me asaltaban los sentimientos más encontrados: unas veces era la euforia de sentirme libre; después de los lúgubres días de España, de la desoladora experiencia de Francia y de la penosa travesía con el turco, la ciudad parecía acogerme felizmente en una radiante mañana de sol. Pero otras veces me hundía en el pesimismo considerando que una cosa es la libertad de imaginar y otra la libertad de conseguir. Y eso ensombrecía mis ilusiones.

Lo primero que debía hacer era buscar alojamiento, al menos para descargar mi impedimenta. Algún golfillo se ofreció a llevarme el equipaje, pero yo no podía permitirme el lujo de dar una propina, de manera que cargando con mis trastos recorrí una barriada modesta inspeccionando los alojamientos y finalmente me detuve ante uno que ofrecía un aspecto aceptable. La planta baja la ocupaba un amplio espacio que hacía de bar o café y comedor, y se anunciaban habitaciones en la planta alta, también para dormir. Me recibió con simpatía una mulata cincuentona. El precio por la pensión completa era ridículamente bajo aunque no para mis recursos. Calculé que con el dinero que llevaba tendría para aguantar tres semanas; habría de confiar en que entretanto me saldría algún trabajo.

La habitación que me asignó la mulata era la mínima expresión: la cama y, por todo complemento, un crucifijo y un orinal: la fe espiritual y la realidad material.

Dejé mis cosas en el suelo y salí a dar una vuelta por la ciudad a ver si de paso encontraba algún anuncio ofreciendo trabajo. Ciudad Trujillo presentaba un aspecto mucho más atrasado que el de cualquier capital de provincia española. La mayoría de la gente iba pobremente vestida cuando no desarrapada; igual que en España, sólo que en nuestro país era un uniforme impuesto por la democracia. El caserío no tenía mejor apariencia. Vagué a la ventura y me retiré a la pensión a la caída de la tarde. Ya había gente cenando. Lo que me sirvió la mulata, después de la bazofia que nos daban en el barco turco, me pareció exquisito. Como estaba cansado me acosté temprano pero tardé en dormirme; de la planta baja llegaban música y canciones, y en mi piso se escuchaban risas y suspiros. Me tapé la cabeza con la almohada y el agotamiento pudo con el ruido.

Madrugué al día siguiente y después de desayunar un café mejor de lo que prometía el estatus del local, aunque mucho más aguado del que tomamos en España, salí a comprar un periódico pensando que habría una sección dedicada a las ofertas de trabajo. La mulata me había recibido cariñosamente, quizá porque al darle el anticipo me vio el fajo de billetes, pero ¿y el día que se me acabaran?

Cuando volví a la pensión ella estaba al acecho en la puerta. Al verme corrió a mi encuentro y me dijo alarmada que había tres hombres esperándome. Dos de ellos eran policías; por la descripción que me dio del tercero reconocí al capitán turco.

—¿Hay otra entrada? —le pregunté.

—Por la cocina.

Le dije que dejara subir a los policías pero no al otro. Ya en la habitación saqué unos dólares exhibiéndolos en la mano. Poco después entraron los policías cuyas miradas fueron atraídas instantáneamente por el dinero. Les conté lo que me había pasado con el turco.

—Pues él dice, no más, que le ha robado usted toda la plata.

—Regístrenlo y verán cómo tiene la cartera repleta de billetes. Yo no le he cogido más que lo mío.

Ante la palabra «cogido» soltaron la carcajada. Rota así la tensión, acabaron dándome la razón y arramblando con los dólares se largaron. Ni a ellos ni al capitán turco volvería a verles.

Pero la reducción de mis haberes hacía aún más urgente encontrar una ocupación remunerada, de manera que me enfrasqué en la lectura del periódico descubriendo para mi desolación solamente tres ofertas y nada tentadoras. Como imaginaba, resultarían fallidas. Había que inventar algo, pero ¿el qué? La solución vendría por carambola.

Esa noche estaba acodado en la barra del bar cavilando absorto diversas posibilidades, cuando me sorprendió una voz a mi lado:

—¡Pero si es Castro!

Era Velasco, un redactor de mi periódico madrileño. Nos dimos un fuerte abrazo.

—¿Tú también por aquí?

Luego dijimos eso de que el mundo es un pañuelo y nos entregamos a una animada charla en que nos relatamos nuestras peripecias desde el momento en que nos separamos en Madrid. En particular, Velasco me refirió una muy divertida:

En la República Dominicana, no encontrando otro medio de ganarse la vida, se había empleado como cartero. En un reparto le tocó llevar un certificado a un chalet. No viendo llamador en el exterior y estando abierta la cancela del jardín se coló en dirección a la casa y estaba llegando a la puerta cuando apareció un mastín que se lanzó sobre él pegando ladridos. Un segundo después estaba Velasco al otro lado de la verja sin apenas aliento y palpitándole el corazón con violencia. Y en éstas asomó una negra, gorda, calmosa, quien con la mayor cachaza le dijo:

—No le tenga miedo, chico, que el animalito está castrado.

—¡Señora! —bramó Velasco— ¡Tengo miedo de que me muerda, no de que me viole!

Me reí lo grande con la anécdota. Luego, Velasco me reveló algo particularmente interesante:

—En Madrid, fueron tres individuos a la redacción preguntando por ti. Me dieron mala espina: debían ser del SIM. El director les dijo que ya no trabajabas en el periódico y que no conocía tus señas particulares pero, no sé cómo, las averiguaron, y al día siguiente se presentó la portera de tu casa, muy asustada, diciendo que la noche anterior habían ido a buscarte; que te lo previniéramos.

—Buena mujer.

—Luego, el director nos dijo confidencialmente que estabas camino de Valencia.

Seguimos hablando de nuestras actividades como periodistas.

—¡Qué engañada teníamos a la gente! —dijo— Pero a nosotros no nos engañaban y yo, viendo que toda estaba perdido, en cuanto pude puse pies en polvorosa. Tú también anduviste listo.

El grupo musical, tres modestos cantantes que actuaban todas las noches en el estrado del bar, se retiraron a hacer un descanso.

—¿Por qué no cantas una canción? —propuso mi amigo—. Como en los buenos tiempos.

—No sé... tendría que pedirle permiso a la patrona.

Me lo dio con la condición de no abordar temas revolucionarios; no quería problemas con la policía, y en cuanto a mí, el descenso alarmante de mi cuenta de dólares tampoco me permitía arriesgarme. Subí a buscar mi guitarra y canté las canciones más inocuas de mi repertorio. Para sorpresa mía, el público que abarrotaba el local aplaudió entusiasmado e incluso se pidieron varios bises. Luego, la mulata me llamó aparte y me dijo que si cantaba todas las noches me daría gratis la pensión completa. No hace falta decir que acepté; eso resolvía mi situación económica por el momento.

El día siguiente lo pasé relajado, ya sin la premura acuciante de encontrar trabajo, y a la noche, después de mi actuación, estaba yo tomando una copa en la barra cuando se me acercó un hombre joven, de aspecto agradable y bien vestido, que se presentó sonriente:

—Carlos Elizondo, navarro y exiliado.

—Gabriel Castro —le contesté, estrechando su mano— aragonés y también exiliado.

Charlamos amigablemente.

—¿Es usted cantante profesional?

—Circunstancialmente. ¿No ha escuchado las emisiones de Unión Radio? A mí me conocían como «El Cantor de Madrid».

—Eso debió ser durante la guerra. Yo salí de España a poco de estallar el conflicto.

—En realidad soy periodista. Aquí he tenido que ponerme a cantar para ganarme el sustento.

—Yo podría encontrarle un sitio mejor. ¿Cuánto le pagan?

Cuando le dije que cantaba por la comida se escandalizó:

—Están explotándole; déjelo de mi cuenta.

Dos noches después acudió a escuchar mi recital en compañía del gerente de uno de los mejores hoteles de Ciudad Trujillo. El gerente me ofreció pensión completa en el hotel y diez dólares por actuación. Sin embargo, no acepté de inmediato y le contesté que le daría la respuesta al día siguiente.

—¿Por qué no ha aceptado ya? —me preguntó Elizondo sorprendido.

—Porque me siento obligado a la patrona. A lo mejor, si no hubiera sido por ella, estaría yo ahora en la cárcel. Tengo que pensarlo.

—¡Ah, Castro, Castro! Ustedes los artistas son unos sentimentales. Pero los exiliados no estamos en situación de permitirnos ser generosos ni desprendidos. La vida es muy dura para nosotros; ya se dará cuenta. Sea egoísta, Castro, y haga lo que más le convenga a usted; es la única manera de salir adelante.

Me decidió el seguir su consejo el sospechar que las atenciones de la mulata, que no era ningún plato de gusto, escondían más que simpatía. Y por no verme en una situación embarazosa me despedí con un mal pretexto y me presenté en el hotel.

Elizondo no tardó en aparecer. Fue en un descanso de mi actuación y me encontró en compañía de una muchacha linda y zalamera. Elizondo la miró con mala cara, frunciendo el entrecejo, y en un momento en que la chica nos dejó solos me dijo:

—Ojo con ésa, Castro.

—¿Por qué?

—Porque es cubana.

—¿Y eso qué tiene que ver?

—Las cubanas tienen un lema: «El cubano para el gusto y el gallego para el gasto.» No vaya a ser usted el gallego del gasto. Búsquela dominicana; las hay muy lindas.

En principio no le hice caso, pero a la noche siguiente se presentó la cubana en compañía de un presunto primo suyo que vendía alhajas, a ver si yo le compraba alguna, obviamente para regalársela a ella.

—Pronto se ha destapado ésta —pensé— razón tenía Elizondo.

Y la dejé entender que con un primo ya tenía bastante. No hay que decir que se largó y que las otras veces que nos cruzamos volvió la cabeza desdeñosamente. En la siguiente visita de Elizondo le dije que quería invitarle a comer.

—¿Por qué motivo?

—Porque le estoy muy agradecido a su ayuda y sus consejos.

—Pues siga el más importante que le he dado: sea usted egoísta y convide solamente por interés, no por gratitud.

Creo que solté la carcajada:

—Pero, hombre, es usted terrible. ¿Acaso me ha ayudado usted por interés?

—Tampoco me ha costado nada.

Le analicé unos instantes:

—¿Sabe lo que pienso? Que es usted un santo varón que disfruta echándoselas de cínico.

Ahora fue él quien se rió.

—Y, por cierto, Elizondo; no sabemos nada el uno del otro.

—Yo sí sé quién es usted; pero usted no sabe quién soy yo. Eso podría acabar con nuestra amistad.

Nos quedamos mirándonos; yo esperaba una aclaración a sus palabras que él tardó en dar:

—Soy falangista.

No me lo esperaba y me quedé cortado. Luego, tras unos instantes, le alargué la mano:

—La guerra ha terminado; es el momento de hacer las paces.

Me la estrechó fuertemente y detecté que su coraza de hombre cínico no era sino la protección de un temperamento muy sensible.

—¿Y qué demonios hace un falangista en el exilio?

—No soy el único; algunos se han enfrentado a Franco, pero mi caso es diferente.

Seguidamente me contó su historia:

—Nací en Estella, y por ambiente y por tradición familiar debería haber sido requeté, pero fui a Madrid a estudiar la carrera y allí mí paisano Ruiz de Alda me catequizó para la Falange (luego Franco le puso la boina roja a la camisa azul, una mezcolanza incongruente que no tiene sentido ni porvenir). Y yo estaba veraneando en Las Arenas cuando se produjo el Alzamiento. No pude evitar que los vascos me enrolaran en su ejército pero a la primera oportunidad me pasé. ¡En buena hora lo hice! Los nacionalistas me confundieron con un líder comunista, Jesús Moreno, a quien se atribuían varios crímenes. Como yo había destruido mi carnet de Falange para que no me lo encontraran los gudaris no pude probar quien era y mis protestas no me valieron de nada; me condenaron a muerte. La noche anterior a fusilarme estaba en prisión con unos comunistas que también me tomaron por Moreno —debemos ser sosias— y me ayudaron a escapar. Considere la paradoja: un falangista que se libra de ser fusilado por los suyos gracias a unos comunistas; la vida es un puro disparate. Pero mi situación después me planteaba un dilema; no podía quedarme con los nacionales porque me habían condenado a muerte ni podía volver con los republicanos porque había desertado y, además, porque tampoco eran los míos. No tuve más remedio que expatriarme; y aquí estoy.

Hizo una pausa y concluyó:

—Ahora que la guerra ha terminado y se habrán enfriado las pasiones he escrito a mis amigos falangistas a ver si pueden aclarar mi identidad y garantizar mi vuelta a España.

Días después recibió respuesta. Le daban todo género de seguridades, con lo cual se embarcó en el viaje de vuelta. Antes de partir me dejó su dirección en Estella pidiéndome que le escribiera. Un día por otro fui dejándolo hasta que, años después y cuando ya le tenía olvidado, encontré sus señas revolviendo viejos papeles. Le escribí entonces y me contestó un hermano suyo diciéndome que Carlos se había alistado en la División Azul y que en Rusia había desaparecido. No he vuelto a saber de él. Y como caso curioso, te contaré que mi colega periodista, Velasco, me dijo un día:

—Ya he visto que te has hecho amigo de Jesús Moreno.

Aún permanecí unas semanas en la República Dominicana; pero yo no cifraba mi porvenir en pasarme la vida canturreando en un hotel de Ciudad Trujillo. Además, me quedé sin amigos porque Velasco se fue a Méjico, y la dominicana que por consejo de Elizondo había ocupado el lugar de la cubana no era como para retenerme indefinidamente. Conque lié el petate y a México me largué yo también.

Un trailer pasó por la calle acelerando a fondo. Su ruido ahogó las palabras de Gabriel Castro. Cuando se perdió en el silencio de la noche el narrador reanudó su historia.

Capítulo XII

MÉJICO

—Llegué a Veracruz un radiante día de verano y, aunque la ciudad me gustó, no habiendo encontrado a ningún conocido durante los días que permanecí en ella, preferí trasladarme a México Distrito Federal donde seguramente estarían mis amigos. La capital hervía de exiliados. Me enteré de que uno de los lugares predilectos donde se reunían era el Café España, y allí me fui. Yo era famoso entre los republicanos como «El Cantor de Madrid», pero solamente conocían mi voz, no mi cara, y así pasé inadvertido entre ellos hasta que un día apareció Velasco, que corrió la voz, y desde ese momento recuperé mi popularidad.

El Café España era un lugar tal como lo ha descrito Max Aub en un relato: abarrotado de republicanos parados que entretenían el tiempo relatando sus hazañas de guerra, pontificando sobre lo que había que haber hecho para ganarla, exaltándose al discutir con sus rivales políticos e increpándose unos a otros en enconadas disputas. Aquellas bataholas sorprendían a los flemáticos mejicanos que por mucho menos se liaban a tiros y no comprendían el que a los españoles se les escapara toda la fuerza por la boca. Un día presencié el siguiente diálogo entre un cliente mejicano y el dueño del local:

—No más, haz un llamado a la policía, que está riesgosa la integridad.

—¡Ni modo! Estos gachupines no son buenos gallos.

También en aquel café escuché la siguiente trola que debió de estar de moda entre los exiliados:

«Al llegar las tropas de Franco a Madrid, la ciudad se hallaba completamente desguarnecida, sin que nadie se hubiera aprestado a la defensa; entonces, un héroe anónimo subió un cañón a una camioneta y efectuó un disparo desde el perímetro oeste de la ciudad en dirección a las avanzadillas nacionalistas. Después, desplazó el cañón un centenar de metros y volvió a disparar. Nuevo desplazamiento y nuevo disparo. Y así sucesivamente, con tan hábil estratagema, hizo creer a los fascistas que en Madrid había multitud de cañones y les hizo desistir del asalto. Esta historieta la oí referir por lo menos en tres ocasiones a otros tantos farsantes que, por supuesto, se atribuían la autoría autoproclamándose los salvadores de Madrid. De esta manera circulaban multitud de fanfarronadas y otras manifestaciones pretenciosas que acabarían desacreditándonos a todos ante nuestros anfitriones mejicanos.

Un día me dijo Velasco:

—¿Sabes quién está en México? Fajardo, aquel tipógrafo que iba por el periódico. Me dijiste que os habíais escapado juntos a Francia.

Conseguí sus señas y fui a visitarle. Me recibió afectuosamente pero no tan efusivo como yo; todos sus amores estaban consagrados a una mejicanita que le tenía amartelado. Me la presentó y, ciertamente, era bonita y muy coqueta. Yo miraba las incipientes canas de Fajardo reflexionando alarmado sobre el porvenir de aquel quillotro; no sé cómo acabaría.

En el Café España conocí, en contraste con la caterva de bocazas, a dos personajes interesantes: Ángel Lázaro, uno de tantos intelectuales evadidos de España, y un curioso sujeto a quien apodaban «El Viejo de la Montaña» de quien ya te he hablado. Con Lázaro hice buena amistad, aunque luego las circunstancias acabaran por distanciarnos. De El Viejo de la Montaña nunca supe el nombre ni el país de nacimiento así como tampoco el origen de su apodo; no sería porque dirigiera una banda de asesinos. Lo más que averigüé de él es que era de ascendencia francesa y eso por una anécdota que me contaron: Un día estaba El Viejo de la Montaña arremetiendo contra los franceses: que si eran unos engreídos, que creían que todo el arte era francés y toda la cultura francesa, cuando en Francia jamás había nacido un genio como Leonardo, Velázquez, Miguel Ángel, Cervantes, Shakespeare, Bach, Kant, Goethe, Gaudí... y, encima, muy pocos de sus sobrevalorados prohombres habían nacido franceses, apropiándose descaradamente sus historiadores de los nacidos en Bélgica, Suiza, España, Rumania... por el solo hecho de que hubieran residido en Francia. Y es que Francia —decía— no ha hecho el Arte sino la Historia del Arte. Y así se escribe la Historia. En cambio los españoles —concluía— para una vez que se han apropiado de un artista extranjero lo reconocen apodándole «El Greco».

Uno de los presentes le interrumpió:

—¿Y cómo habla usted tan mal de los franceses siendo de ascendencia francesa?

—También dicen que el Hombre desciende del mono —replicó lapidariamente.

Otras frases suyas se habían hecho famosas, como un aforismo en verso:

> Para acabar con los males
> que sufre la Humanidad
> bastaría con que México
> lindara con Canadá.

o la que decía:

«En Estados Unidos la bandera está por todas partes, incluso fuera de los retretes», a cuyo propósito solía citar una frase de Mark Twain incluida en la carta que dirigió al presidente Mc Kinley: «En la bandera americana deberían ser sustituidas las barras blancas por otras negras y las estrellas por calaveras.»

—Ese Mc Kinley fue el que dijo: «Filipinas, Cuba y Puerto Rico fueron confiadas a nuestras manos por la providencia de Dios y su anexión es un deber de los Estados Unidos que deben aceptar sus responsabilidades históricas.»

—Cualquier infamia es imputable a esa gente; ya hablaremos de eso.

Volviendo a «El Viejo de la Montaña», los políticos solían ser el blanco de su lengua:

«Cuando le dijeron a un político que en Dios había tres personas se echó a reír» y «Los gobiernos son como las islas del guano: muchos pájaros, muchos graznidos y mucha mierda». Recuerdo también un apotegma que suena a greguería: «Si la mierda no oliera los políticos estarían afónicos.» Y aún hay más: «Los políticos se diferencian de los militares en que los militares venden su vida por la patria y los políticos venden la patria por su vida.» Pero también tenía para los militares: «El arrojo de los generales se demuestra en que, habiendo muerto casi todos en la cama, los restantes aún tengan el valor de acostarse todas las noches.»

Acostumbraba a sentarse solo, en un rincón, y se abstraía en la lectura del Excelsior indiferente, al parecer, a todo cuanto ocurría a su alrededor. Cuando hablé con él descubrí un hombre inteligente, culto, un tanto escéptico y, sobre todo, muy retraído. Un día le propuse presentarle a Ángel Lázaro:

—¿Quién es? —me preguntó.

—Otro exiliado; un erudito.

—Como si quiere presentarme a ese cura renegado, Marino Ayerra. ¿Conoce usted la diferencia entre un erudito y un teólogo? Que el erudito es el que menos sabe de todo y el teólogo el que más sabe de nada.

—Los republicanos españoles —me dijo una vez— tienen a su favor la opinión mundial. Han perdido la guerra en España pero la han ganado en el extranjero. No deja de ser un reparto equitativo.

—¡Pírrico consuelo!

—A la larga es preferible ganar la guerra en el mundo que en el propio país; ya lo verá.

Una mañana, al entrar en el café noté una animación inusitada en un ambiente de clara euforia. Unas voces me llamaron alegremente:

—¡Eh, Castro! ¿Sabe la noticia? Francia e Inglaterra han declarado la guerra a Alemania.

—¡Me cago en Francia e Inglaterra! —respondí dejándoles atónitos— Van a partirse el pecho por defender a Polonia y no fueron capaces de mover un dedo por España. ¿Qué tienen los polacos que no tengamos los españoles?

—Judíos; muchos judíos —apuntó el otro Gabriel Castro.

—Sí; eso debió ser. En seguida me replicaron:

—¡Hombre, Castro, no hay que tomarlo así! Lo importante es que, por fin, vayan a ajustarle las cuentas a Hitler, que ya va siendo hora.

—Sí; ahora que los republicanos españoles estamos en el exilio, en la cárcel o bajo tierra.

—Hitler caerá y, detrás de él, Franco. Entonces podremos volver.

—¿Y quién va a quitar de en medio a Franco?

—Inglaterra y Francia.

—No os hagáis ilusiones. No se les ha visto nunca la menor intención de ayudarnos a los españoles.

—La Unión Soviética.

—¿Ahora que acaba de pactar con Hitler? ¡Hombre, no me hagáis reír!

Una tarde me presentaron en el café a Buñuel. Sentado a una mesa con unos conocidos míos, me alargó la mano sin hacer intención siquiera de incorporarse; pero no se la estreché:

—Usted es el autor de *Tierra sin pan*. En esa película aparece una niña enferma abandonada en la calle. Usted podía haberla llevado a una clínica donde la atendieran, pero prefirió dejarla morir para poder incluir en su película una secuencia impresionante. Me parece una putada de malnacido.

Buñuel tenía fama de irascible y, además, había sido boxeador. Los presentes se quedaron mudos y aterrados esperando una reacción violenta; yo también la esperaba y tenía pensado arrimarle un silletazo si se lanzaba sobre mí. Pero debió cogerle tan de sorpresa el inesperado ataque, en un lugar donde todos le colmaban de alharacas, que no reaccionó. Me di media vuelta y me marché temiendo que aún me saltara por la espalda. Se corrió la voz y, días después, me dijo Lázaro:

—Quiero presentarle a Rodolfo Halffter. ¿Tiene usted algo contra él? No vaya a soltarle cuatro frescas.

Ése no es mi carácter, pero tal fama me echaron como consecuencia del incidente con Buñuel, un cineasta a quien, a pesar de todo, admiro. Los artistas son así: su arte es lo primero para ellos, cuando no lo único.

Y todavía hubo otro asunto que acabó de granjearme fama de hombre peligroso. En una reunión del gobierno republicano con representantes de diversas naciones hispanoamericanas, al pronunciar uno de nuestros políticos el término «Hispanoamérica», un tipejo simiesco, escuchimizado, le interpeló diciendo que empleara la palabra «Latinoamérica» porque Hispanoamérica era una denominación que les resultaba ofensiva. Nuestros representantes quedaron en silencio pero al día siguiente apareció un pasquín con la fotografía del quidam y un pie que decía:

—Este que veis como eslabón perdido
que enlaza al mono con el ser humano
y, a no tener un gen de castellano,
con taparrabos aún iría vestido,
él se llama «latinoamericano»

y yo le quedo muy reconocido.
por no afrentarnos al llamarse hispano.

—¡Caray, estuviste duro!

—Y él ¿Cómo estuvo? ¿Por qué los españoles tenemos que tolerar todo lo malo que digan de nosotros y no se nos ha de permitir devolverles la moneda?

—Sí; así es. Y así ha sido y así será.

—En Madrid hemos elevado un monumento a Simón Bolívar ¿Te imaginas tú a los ingleses consagrando un monumento a Gandhi, o los austriacos a Garibaldi, o los franceses a Ben Bella? Los españoles nos hemos dejado inculcar un complejo de culpabilidad y nos creemos en la obligación de pedir perdón a todo el mundo y somos pocos los que echamos en cara a los demás el que no sean mejores que nosotros. Es el caso de la Inquisición; la Inquisición ha pasado a la Historia como un fenómeno español, aunque la haya habido en otros países, Francia, Italia y Suiza, por ejemplo. Está documentado que por cada bruja quemada en España fueron quemadas cien en Suiza; sin embargo, España padece una leyenda negra y Suiza goza de una leyenda rosa. Pero la Inquisición no ha sido española, ni francesa, ni italiana ni suiza: ha sido católica. Ahora bien; la Iglesia es maestra en eso de tirar la piedra y esconder la mano, y ahora sólo se habla de la Inquisición referida a España; la Iglesia no ha tenido culpa. Así se escribe la Historia. ¿Habrá algo que no se haya escrito al revés?

—Tienes razón.

—Volviendo a lo anterior, te contaré lo que me ocurrió con una muchacha canaria, Marita Rodríguez se llamaba. Un día me dijo, los ojos brillando de rencor: «Ustedes los godos exterminaron a mis antepasados los guanches.» Espera un momento —le repliqué—. Si los godos exterminaron a los guanches, ¿de quién desciendes tú? De los guanches no porque, según dices, no quedó ninguno; entonces descenderás de los godos que los exterminaron y no yo, que mis antepasados se quedaron en la península.

Los odios grupales son así de irracionales, eso si no interviene otro motivo. En la redacción de mi periódico teníamos una muchacha «latinoamericana», Gladys Afrodita —no sé cómo demonios ingresaría allí—, que era el eslabón perdido entre la mujer y el gargajo, y a quien apodábamos jocosamente «La Perla del Caribe». Sobra decir que ninguno le hacíamos maldito el caso y, como nada ofende tanto a la mujer como nada, al volver a su país escribió las más violentas invectivas contra los españoles.

Cambiando de tema, un día me invitaron a una conferencia que iba a pronunciar una refugiada española, Juana Errazu. El nombre me sonaba pero mi memoria me fallaba al intentar recordar quién era o de qué la conocía. Me aburrían aquellas diatribas, todas iguales, en que nuestros compañeros de exilio repetían siempre los mismos tópicos: sus aciertos personales y los errores de los republicanos de otras tendencias: los crímenes fascistas, y todo ello aderezado con autobombo, insultos, reproches... Pero asistí picado por la curiosidad de averiguar quién era la conferenciante. No la reconocí enseguida; en los años transcurridos desde nuestro encuentro anterior había cambiado bastante. Pero no tardé en identificarla: El caso se remontaba a la caída de Toledo. Los tuyos instalaron varios tribunales (llamémosles así) en diversos edificios públicos de la ciudad y ante ellos hicieron desfilar a la rueda de prisioneros tomándoles la filiación antes de mandarles a la cárcel o al paredón. Yo, como te he contado, estaba entre los detenidos, y Juana Errazu unos puestos delante de mí en la cola. El tribunal lo formaban un teniente, un cura y un falangista que presidía. Un sargento iba presentando a los presos. Cuando le llegó el turno a la Errazu el sargento la identificó como la amiga de Jesús Moreno, uno de los líderes comunistas de la localidad, precisamente el mismo con quien, según te he comentado, confundieron al falangista que conocí en la República Dominicana.

—¿Le habéis detenido también a él? —preguntó el teniente.

—No; ha escapado hacia Madrid.

—¡Qué caballerazo! —comentó el falangista— Librar él el pellejo abandonado a su compañera.

Aquel falangista era un personaje altisonante, muy poseído de su papel de juez supremo. Se dirigió a la Errazu:

—Puedes irte; los nacionales somos más caballeros que los rojos y respetamos a las mujeres.

Juana Errazu, pálida de miedo y de rabia, se mordió los labios y salió.

Evoqué esta escena mientras esperaba que la conferenciante iniciara su disertación. Esta versó precisamente sobre su detención en Toledo. Contó que la habían llevado ante un tribunal; que un cura la insultó y un falangista la había abofeteado; que luego la sacaron a empellones y la arrastraron a un calabozo donde la molieron a golpes y la violaron. El auditorio escuchaba lanzando exclamaciones de indignación e interrumpiéndola con aplausos. Yo estaba pasmado ante la desfachatez con que aquella individua inventaba tal sarta de mentiras. Apenas terminó me levanté y salí disparado topándome con Fajardo:

—No te vayas, Gabriel; quiero presentarte a la Errazu.

—La conozco demasiado bien —respondí y salí dejándole intrigado.

Al día siguiente estaba yo en el Café España cuando oí una voz que me llamaba; era don Ángel Lázaro.

—¡Qué casualidad, Castro! ¡Qué casualidad y qué suerte! Estaba pensando cómo podría localizarle. Le buscaba para un asunto muy importante; se trata de prestar un servicio a la causa.

Me senté a su mesa:

—¿Qué causa?

—La republicana, naturalmente —contestó sorprendido.

—Don Ángel: estoy muy desengañado de esa causa.

Me miró con extrañeza:

—¿Por qué?

Le referí entonces el caso Juana Errazu; lo que yo había presenciado y lo que había contado ella.

Me escuchó gravemente y luego sonrió con indulgencia.

—Bueno, Castro; no hay que conceder excesiva importancia a las fantasías de una infeliz ávida de sensacionalismo y de conseguir popularidad hacia su persona. Es humano y es disculpable ¿Qué trascendencia tiene?

—La mentira siempre es mentira y, como tal, reprobable.

—¿Y usted cree que los franquistas no levantan esas calumnias contra nosotros?

—Pues eso es precisamente lo que me resulta intolerable; que nos rebajemos a ser iguales que ellos.

—Pero éste es un caso aislado.

—No; no es un caso aislado. Usted sabe que entre los refugiados proliferan esos fantoches que van proclamando hazañas inventadas de las que se arrogan el protagonismo. Y ésos son precisamente los más cobardes, los oportunistas, los listillos que han sabido ponerse a salvo cuando las cosas pintaron mal en España. Mi corazón sigue estando con los republicanos de verdad que lucharon hasta el final y ahora padecen en las prisiones de Franco.

—Usted está aquí.

—Y usted. Pero no vamos por ahí alardeando de héroes ni de mártires. Lo que yo quiero decir es que de España escaparon buenos y malos, pero los que se quedaron eran sólo los buenos; de los malos no quedó ninguno.

—¿Y qué conclusiones saca?

—Decepción.

—Pero eso no justifica el cruzarse de brazos en actitud negativa. Usted mismo reconoce que también han escapado buenas personas. Sólo por ellas le pido que colabore a una misión generosa.

—Veamos.

Lázaro bajó la voz:

—Ha llegado a Veracruz un barco cargado de alhajas requisadas para ayuda de nuestros compatriotas exiliados. Se trata de constituir ahora una comisión formada por personas intachables que administren estas joyas con absolutas probidad y honradez. Y he pensado en usted para formar parte de esa comisión.

—¡Hum, qué asunto más escabroso! Vamos a olvidar la procedencia de esas joyas, que ya es un tema delicado, y consideremos la gestión de ellas; es una cuestión que se presta a muchas cosas turbias.

—Lo sé; por eso hemos elegido a las personas más idóneas: Rita Vázquez...

—¿La «condesa roja»?

—Sí; así la llaman.

—El apodo se lo puso ella al proclamarse la República; antes era la condesa a secas. Sé muy bien la clase de gente que es: una enana tan mezquina de alma como de cuerpo. Es la persona que conozco que se sienta más ufana de su ruindad. Durante la República ocupó un alto cargo en un ministerio desde el cual se dedicaba a favorecer descaradamente a su marido médico; no se puede negar que fuera una buena esposa. Empezamos bien ¿Y quién más?

Algo amostazado, Lázaro continuó:

—Alfonso Granados, Mateo Urech, Ramón Chamorro...

—¿Ramón Chamorro? ¿«El Murciano»? —grité más que pregunté— ¿Pero usted sabe quién es ése?

Lázaro me miró desconcertado:

—Bueno; reconozco que...

Le conté la historia de Chamorro tal como la había conocido en Barcelona. Le hablé de sus extorsiones, del Palau del Pernil y del tendero asesinado alevosamente.

—Éste es el sujeto —concluí— que la otra tarde estaba en el café, él, un cobarde que nunca se arrimó a menos de cincuenta kilómetros del frente, contándoles a unos contertulios que fue él quien cruzó el Ebro en primer lugar. Les decía que había tenido que nadar con las piernas porque llevaba las manos fuera del agua sosteniendo el fusil para que no se mojara mientras las balas pasaban silbando alrededor de su cabeza. A pesar de esta precaución, cuando alcanzó la orilla la pólvora estaba mojada y tuvo que acometer a los fascistas a bayonetazos. ¿Qué le parece, don Ángel? ¿Y semejante individuo va a ser el encargado de distribuir las joyas?

—Pues razón de más para que intervenga usted en la comisión y le controle.

—¿Usted me pide que yo me siente a la misma mesa que ese canalla? La única forma de controlarle sería echarle a puntapiés ¡Qué olfato ha tenido el sinvergüenza para meterse ahí donde hay dinero!

—Le prometo que haré lo posible para que Chamorro salga de la comisión. ¿Aceptará usted entonces?

—Decididamente, no. Los que intervengan en esa comisión siempre serán sospechosos de haberse quedado con algo entre las uñas. A los ojos de todos acabarán cubiertos de mierda.

—Haga usted ese sacrificio por la República.

—«Al rey la hacienda y la vida se han de dar, pero el honor es patrimonio del alma y el alma sólo es de Dios» ¿Conocía usted esa frase? Yo estoy dispuesto a sacrificarlo todo por la República excepto la honra; y la honra se pierde no sólo en la realidad sino también en apariencia.

Mi negativa molestó a Lázaro enfriándose la amistad que me profesaba según comprobaría yo después. Y del asunto de las joyas preferí no saber nada más.

El narrador bebió otro trago como si quisiera lavar en la boca aquellos recuerdos y prosiguió su relato.

Capítulo XIII

ALBERT CASSE

—Allí en Méjico, el tiempo que me dejaban libre mis ocupaciones lo dediqué a leer, principalmente libros de nuestra guerra, y fui de decepción en decepción. Aquellos folletones eran como el trasunto de las disputas del Café España los escritos por los españoles; y los paridos por extranjeros manifestaban un desconocimiento total de lo nuestro, como en el caso de Hemingway; si yo no le hubiera visto en Madrid con mis propios ojos pensaría que todo lo que conocía él de España era la novela de Merimée. Empecé a leer *Por quién doblan las campanas* y, al llegar a un pasaje en que una cocinera habla de unos melones «dulces como un amanecer de verano», no pude seguir leyendo. ¿Quién ha escuchado jamás a una cocinera española decir una cursilería de este calibre?

—Esas chorradas las han escrito hasta los más grandes; recuerdo haber leído en Werther que «Carlota repartía rebanadas de pan entre sus hermanitos proporcionalmente a su edad y apetito».

—Y también Cervantes escribió aquello de «pobre pero honrado».

—Que debió ser al revés.

—Una simpleza puede ser perdonada; tú lo has dicho: hasta los más grandes han incurrido en eso. Pero es que en Hemingway el resto era por el estilo. En cuanto a nuestros plumíferos se dejaban llevar por la tendenciosidad más extremada. Yo había admirado a Sender cuando leí *Mister Witt en el cantón,* donde pinta un retrato magistral del ruin gentleman inglés (decía el Viejo de la Montaña que los ingleses sólo miran de frente cuando apuñalan por la espalda) pero me decepcionó leer *Siete domingos rojos.*

—Sí; Sender dijo cosas tales como que en la zona nacional habíamos fusilado a 750.000 republicanos. Por lo exagerado no parecía paisano nuestro; más bien andaluz.

—Tendenciosos encontré también a Abad de Santillán, Zugazagoitia, no digamos Largo Caballero, algo más ecuánime Prieto, aunque tenía bastante cara, y Casado; y, realmente chistoso el ex cura Marino Ayerra que en su libro autofictobiográfico reproduce al pie de la letra, ¡qué memoria! sus diálogos con diversas personas en los que obviamente brilla su esplendorosa argumentación frente a la torpeza de sus interlocutores. Entre los extranjeros haría una excepción con Regler, Ehrenburg y Koestler, y arrojaría al fuego a los demás. Fíjate que Bernanos dijo que Alfonso XIII se habría mantenido en el trono con sólo mandar fusilar a Sanjurjo cuando éste le rehusó el apoyo de la Guardia Civil al proclamarse la República. Y Maritain otro que tal. *La palestra española,* de Borkenau, no estaba del todo mal, así como *L'Espoir,* aunque la posterior trayectoria de Malraux fuera otra cosa. En *La Puerta del Sol,* de Simone Téry, no pude pasar de las primeras hojas.

—Tenías que haber leído también a nuestros historiadores.

—¿Te parecen mejores?

—Te habrían hecho considerar mejor a los tuyos. Leyendo a unos y a otros no puede dejar de ponerse en duda la condición humana ¡A qué especie zoológica pertenecemos, Gabriel!

—Tú decías que en el mundo no hay buenos y malos, sino malos y peores. Nosotros seremos de los malos pero todavía los hay peores: los yanquis. ¡Las cosas que he sabido de ellos...! El genocidio de los indios de Norteamérica es el más nefando de los crímenes cometidos en la historia de la Humanidad; llevado a cabo con el objeto de invadir sus territorios llegó a extremos de crueldad nunca conocidos si se excluyen a los cometidos por Gran Bretaña (de quienes descendían los genocidas.) Por cierto, que un senador yanqui, Beveridge, manifestó: «El comercio del mundo debe ser nuestro y lo será como nos enseñó nuestra madre Inglaterra.» Son tal para cual.

Los llamados «Cuchillos Largos» virginianos tenían un lema: «El mejor indio es el indio muerto.» Pero jamás los invasores atacaron de frente, como harían en el poblado indio de Stonington, de la tribu de los pequots: amparados en la noche cerraron sus salidas y le prendieron fuego achicharrando a un millar de indios. Luego, el caudillo Mason tomó la Biblia y pronunció una acción de gracias. A otras tribus de Oregón no les sirvió refugiarse en cuevas; fueron perseguidos y exterminados como alimañas. El coronel Shevington cercaba campamentos cheyenes pasando a cuchillo a todos sus moradores y el general Sherman propuso el completo exterminio de los sioux. Muchos jefes indios —Pontiac, Massasoit, Oceola, Tecumseh...— fueron muertos alevosamente en la «tradición heroica» estadounidense; y es que los Estados Unidos, según manifestó Washington, jamás han emprendido una guerra que no estuviesen seguros de ganarla; y Jefferson declaró que hay que aprovechar el momento difícil del débil para arrollarlo. La cobardía es ínsita en sus soldados: En Bladenburg, que puede tomarse como ejemplo de sus acciones bélicas, emprendieron una de las fugas más vergonzosas que conoce la historia de las conflagraciones ante unos cohetes que el enemigo, desprovisto de municiones, les disparó para amedrentarles ¡Y vaya si lo consiguió! Anteriormente el general Wolfe, héroe canadiense de Québec, había declarado: «Los yanquis son los perros más inmundos, más despreciables y cobardes que uno puede imaginar.» Ya Bernardo de Gálvez, gobernador español de Florida, había manifestado: «El yanqui es un ser hipócrita, falso y desvergonzadamente rapaz; la democracia que proclama no tiene más objeto que desconocer los derechos de los demás.»

¿Y cuál es esa democracia? Thomas Hooker, al crear la colonia de Connecticut, sólo concedía el derecho a voto a aquellos cuyas propiedades sumaran más de 50 libras; pero aún fue peor un tal Morris, que manifestó no poner inconvenientes a conceder el derecho a voto a los que no tienen nada para así poder comprarlo los que tengan dinero. ¿Cabe mayor cinismo? Sí: el testamento del mayor Butler en el que declara que podría aleccionar a Al Capone.

Según André Maurois, los yanquis no rebasan la mediocridad salvo en la mentira. Y, para Emerson, desde que el mundo es mundo no se ha dado semejante desprecio a la buena fe y a la virtud. Ya lo dijo Rubén Darío en una arenga dirigida a los estadounidenses en que reconociendo su poderío decía: «Sólo os falta una cosa: Dios.»

Pero... hablemos de otro tema; una noche me invitaron a un party en casa de Diego Rivera. Rivera seria un gran pintor pero nada más; creo que hasta traicionó a Trotsky.

Había allí una ninfómana, cuyo nombre me callo, y no diré que se me insinuó; me lo propuso abiertamente. Entre otros invitados estaban Ramón Mercader, Sequeiros, el Viejo de la Montaña, enigmático y retraído como siempre, y dos alemanes, padre e hijo. El padre, Albert Casse, de edad próxima a los cincuenta años, había luchado con las Brigadas Internacionales en el batallón Thaelmann. Evadido de Alemania al subir Hitler al poder, se había refugiado en Méjico cuando salió de España y allí vivía con su mujer y su hijo Ferdinand, que estaba casado con una mejicana y era padre de dos gemelos. Todo esto me lo contó Albert que, al enterarse de que yo era español, vino a pegar la hebra conmigo mientras la ninfómana de marras intentaba ligarse a su hijo. Me pareció un hombre idealista, un tanto ingenuo, y me cayó simpático. En el curso de la conversación que mantuvimos me manifestó su desilusión respecto de los distintos partidos que lucharon —teóricamente— a favor de la República. Le indignaba el ciego sometimiento de los estalinistas a los dictados de «La Casa», que era como llamaban al Kremlin. Hoy decían «blanco» y si mañana la consigna de Moscú era «negro», con el mismo convencimiento sostenían «negro» sin reconocer que el día anterior habían jurado «blanco». Los únicos que le inspiraban respeto eran los anarquistas. Los consideraba unos ilusos dotados de sentimientos altruistas y generosos.

—Y son los que han tenido peor prensa.

—Así son las cosas.

De los brigadistas decía pestes: los más eran arribistas sin escrúpulos que acudieron a España a pescar en río revuelto; los mejores eran los que arriesgaban su vida en los frentes para satisfacer sus instintos homicidas. A ese tenor estuvo desfogándose y yo no encontré argumentos para replicarle.

Él y su hijo se recogieron pronto, según su costumbre, y yo, que no me encontraba muy a gusto, me retiré con ellos. Salimos los tres a la calle solitaria y al dirigirnos a su automóvil vimos a un sujeto que, habiendo abierto una portezuela, estaba inclinado rebuscando en el interior. Un cabello revuelto, de color pajizo, era lo único visible de su cabeza.

—¿Qué hace usted ahí? —le preguntó Albert.

El individuo se volvió mostrando un rostro cetrino, de mirada maligna, y enarbolando una llave inglesa la descargó contra la cabeza de Albert, quien, con un rápido reflejo pudo esquivar el golpe pero la herramienta se estrelló contra su hombro. Un segundo después el puño de Ferdinand impactó en la mandíbula del agresor desplomándole en la acera.

Todo había ocurrido en un instante sin apenas darnos tiempo de asimilar la situación. Albert se llevaba la mano al hombro con gesto de dolor.

—¿Estás bien, padre?

—Peor estará este hombre. Habrá que llevarle a un dispensario.

—¡Ni modo! —dijo una voz detrás de nosotros.

Nos volvimos; un policía nos contemplaba flemático.

—Ha sido legítima defensa —se apresuró a alegar Albert.

—No hace falta que me lo cuenten ustedes —respondió el policía—. A ése no me lo lleven a un hospital.

Nos quedamos parados.

—Pues entonces ¿qué?

—Escúchenme, señores. Yo le conozco al hampón; le dicen «Güero Aureliano» y no es nada sufrido. Si le dejan vivo, mañana va a buscarles a ustedes y los balacea a los tres y, si no los encuentra, a sus esposas y escuincles. Mejor llévenlo en el carro a un lugar solitario, lejos de acá, y le pegan un tiro.

Nos quedamos atónitos mirándole. Ante nuestra inmovilidad insistió:

—No se hagan mala sangre. El «güero» no tiene familia que vaya a denunciar su desaparición; y yo nada vi, que ahorita mismo me mando mudar.

Y dando media vuelta se perdió en la noche caminando despaciosamente.

—Ese hombre está loco —dijo Albert—. Vamos.

—¿Adónde, padre?

—A un hospital.

—No; hagamos lo que ha dicho el policía.

—Pero, Ferdinand ¿hablas en serio? ¿Cómo podrías hacer eso?

En el colmo de la agitación su hijo se le enfrentó:

—¿Cómo puedes tú no hacerlo? Piensa en mamá, piensa en mí, en tus nietos; piensa en todos nosotros.

Albert se revolvió exasperado:

—¡No! ¡No puedo consentirlo! ¡De ninguna manera! ¡Nunca!

—¿Usted qué opina? —me preguntó Ferdinand descompuesto.

—Yo estoy con su hijo, Albert. Hace un momento ha hablado usted de legítima defensa. No es lícito poner en peligro la vida de unos inocentes por respetar la de un criminal.

—No se hable más —dijo Ferdinand y metió el güero Aureliano en el asiento posterior.

—¡Espera, hijo! Un alemán no puede actuar así.

Ferdinand se detuvo:

—¡Un alemán! —replicó con sarcasmo— ¿Sabes lo que eso significa, padre? Los alemanes somos los proscritos, los enemigos de la Humanidad; la opinión mundial está en contra nuestra. Si ese asesino nos matara mañana a todos, ¿qué diría la gente?: «Ah, eran alemanes; bien hecho.»

—Tenía razón el hijo —comentó el otro Gabriel—, hay muertes y muertes: el vil asesinato de García Lorca y las ejecuciones de Melquíades Álvarez, Ramiro de Maeztu y Muñoz Seca. Fuera de la España nacionalista no se ha elevado una voz de protesta por éstas; y también se ha aireado mucho la matanza de Badajoz y no se ha rechistado sobre las de Paracuellos.

—Así es; no tengo más remedio que reconocerlo. Bueno; pues Ferdinand se metió en el automóvil y yo tuve que sujetar a Albert, que intentó agarrar la manecilla, para evitar que le arrastrara el auto en su arrancada. Se quedó inmovilizado mirándole alejarse. Encogido, era la imagen de la desolación.

—Acompáñeme, por favor —dijo después.

—Sí; vamos a una clínica. Debe tener usted rota la clavícula.

—No; iremos a la policía.

—¿Va usted a denunciar a su propio hijo? No cuente con mi testimonio.

—Voy a cumplir con mi deber.

Debió llegar a la prefectura al límite de sus fuerzas. Estaba demacrado; el dolor del hombro debía ser insufrible. Nos pasaron al despacho del jefe.

—¿Qué les trae por acá?

—Vengo a denunciar un homicidio.

—¿Quién fue la víctima?

—Un delincuente habitual; un tal Aureliano.

—Ya; «el Güero» ¿Sabe quién le ultimó?

Albert se irguió en un esfuerzo supremo antes de responder.

—Yo mismo; Albert Casse.

El narrador hizo una pausa. El otro Gabriel Castro meneó la cabeza cavilosamente:

—Estoy de acuerdo con Ferdinand. Existe un complot internacional contra los alemanes. El mundo podrá perdonarles a Bismark, a Guillermo II, a Hitler... pero no les perdonará a Kant, Hegel, Goethe, Nietzsche, Heidegger, Durero, Holbein, Grünewald, Bach, Beethoven, Wagner... Esa es la realidad.

—Y los alemanes se ven obligados a reaccionar como el hijo de Albert. No deja de ser terrible el que la vida nos obligue a delinquir si queremos salvarnos. ¿Tú crees en Dios?

—Yo creo en el Diablo porque a Dios no le he visto nunca y al Diablo le veo por todas partes. Te contaré uno de los episodios más dolorosos que he vivido: Al terminar la guerra me asignaron un alto cargo en una oficina del Estado. Las ventanas de mi despacho daban a un solar al que los vecinos habían convertido en basurero. Y allí vi una mañana a una niña de unos ocho años, sucia, desgreñada, con un vestido andrajoso y descalza, que rebuscaba entre la basura y de vez en cuando se llevaba algo a la boca. Aunque ese triste espectáculo fuera, por desgracia, habitual en aquellos tiempos, el de aquella niña me impresionó particularmente y cuando el conserje me dijo que iba todos los días a buscar algunos desperdicios para comer, le pedí que averiguara quién era y dónde vivía, si es que vivía en alguna parte, y yo acudí a un comedor de Auxilio Social. Los trámites para comer allí eran laboriosos pero yo hice valer mi cargo y saltando por encima del papeleo conseguí que la admitieran al día siguiente. Dos días después el conserje me dio la noticia: el estómago de aquella criatura, acostumbrado a unas pocas piltrafas, no había podido tolerar el plato de garbanzos que le dieron en Auxilio Social; sus ocho años de hambre habían concluido con un empacho: una miserable burla cruel de la divina providencia. Sentí una desesperación y una rabia tales que, levantando el puño al cielo, dije: «Dios: si existes eres lo peor de lo peor.» Y ahora, cada vez que asisto a un banquete donde la gente se muestra desbordante de satisfacción, evoco la imagen de aquella niña y siento asco de este mundo en que nos ha tocado vivir y odio hacia su creador.

Los dos castros quedaron en silencio.

Capítulo XIV

LAS COPLAS DE PANADERA

El día 14 de abril organizó la colonia española de Méjico ciudad una fiesta conmemorativa de la proclamación de la República. La celebración constaba de dos actos: en el primero hubo discursos a cargo de los figurones de siempre que pronunciaron los tópicos de siempre; expresiones como «asesinos fascistas», sus variantes y otras muletillas resonaron cien veces subrayadas por grandes aplausos. Luego se recitaron poesías de Antonio Machado, García Lorca y Miguel Hernández.

—¿Miguel Hernández? Si no hubiera muerto en una cárcel de Franco nadie se acordaría de él, pero la política ciñe coronas de laurel al poeta más mediocre con tal de poder esgrimirle contra el enemigo.

El narrador asintió al inciso de su tocayo.

—La segunda parte —siguió— era un festival de canciones y danzas, y a mí me ficharon para cerrar el espectáculo. De cara a la ocasión se me ocurrió componer unas glosas sobre las «Coplas de Panadera», una poesía satírica de Juan de Mena en que ridiculiza a los combatientes de la batalla de Olmedo. Bueno;

algunos eruditos opinan que tal atribución no está probada, pero a mí me parece que hay indicios suficientes para admitir que Juan de Mena fuera el autor.

—Eres un erudito, tocayo.

—No te sorprenda. Los hijos de los pobres hemos tenido que luchar mucho, estudiando y trabajando, para abrirnos un camino en la vida. Los hijos de los ricos, aunque ése no sea tu caso, suelen dormirse en los laureles.

—No te falta razón. Anda; sigue contándome.

—Cuando llegó mi turno, subí entre muchos aplausos al estrado de una sala abarrotada de público. Templé la guitarra y empecé cantando:

> Panadera, panadera
> del amargo pan de España,
> cuéntanos alguna hazaña
> de nuestra guerra postrera;
> refiere de qué manera
> burgueses, capitalistas,
> requetés y falangistas
> nos dieron la muerte artera.
> Di, panadera.

Esta primera estrofa provocó ya una gran expectación. Seguí:

> Un mal día amaneciera
> la República Española
> cual Fonseca triste y sola,
> con traidores dentro y fuera.
> Los de dentro una bandera
> genocida enarbolaron
> y una guerra provocaron,
> la más sangrienta y más fiera.
> Di, panadera.

Sonaron murmullos de aprobación, así como en la estrofa siguiente:

Una mano justiciera
quiso estrellar el avión
en que Sanjurjo a la unión
con los rebeldes partiera
pagando de esta manera
el generoso perdón
que por su anterior traición
Azaña le concediera.
Di, panadera.

Pero el entusiasmo se desató con esta estrofa:

Bajo una fresca palmera
en la isla de Tenerife
el futuro matarife
permanecía a la espera.
Hasta que supo certera
la victoria de la acción
el intrépido león
se quedó en la madriguera.
Di, panadera.

Sonaron estruendosas carcajadas y grandes aplausos. Me había ganado al auditorio. Y ya las siguientes estrofas fueron recibidas con el mismo éxito:

Si el Manzanares tuviera
del Amazonas la anchura
no fuera empresa más dura
cruzar a la otra ribera;
que el audaz Yagüe no diera
con el paso por los puentes
fue tal vez porque los lentes
le empañó la sudadera.
Di, panadera.

Con la voz de borrachera
y el lenguaje chabacano

oraba Queipo de Llano
en una charla grosera;
pero daba más dentera
Varelita el gaditano
que, si estuviera en su mano,
la retaguardia escogiera.
Di, panadera.

Y se redoblaron las risas y los aplausos. Bueno; no voy a re-
citártelas todas porque eran muchas. La penúltima no cayó tan
bien como las otras; decía:

Vinieron a hacer carrera
Hemingway, Malraux, Dos Passos,
y, siguiéndoles los pasos,
mucha chusma aventurera.
Buscaban de esta manera
fama, laureles y glorias
y, al escribir sus memorias,
que el libro un best-seller fuera.
Di panadera.

Pero la última estrofa fue la que produjo un impacto enorme:

Acudieron desde fuera
el nazi, el fascista, el moro,
y, para robar el oro,
vinieron de la otra acera.
Decirlo un sabio pudiera:
—Español que al mundo vienes
¡Qué pocos amigos tienes!—
¡Y qué gran verdad dijera!
Calla, calla, panadera.

La mayoría de los rostros palidecieron de indignación y me
clavaron miradas de odio; no sospechaba que fueran tantos los
estalinistas. Aplaudieron calurosamente unos pocos, los anar-

quistas, y desconcertados y tibiamente los republicanos restantes. Mis coplas habían servido como un test para descubrir quién era quién.

Al terminar el festival se sirvió una copa. Deambulando por entre los grupos de asistentes detecté muchas miradas aviesas de reojo; sólo unos pocos se acercaron a felicitarme. Fajardo vino a buscarme y, cogiéndome de un brazo me apartó a un rincón:

—No escarmientas, Gabriel —me dijo muy enfadado— ¡Tenías que sacar a relucir lo del oro del Banco de España! Los comunistas están que trinan ¿Qué ganas con hacerte enemigos? ¿Por qué dices esas cosas?

—Porque son verdad.

—Hay verdades que no se pueden decir.

—Son las únicas que deben decirse.

—Y además sueltas que el español no tiene amigos, precisamente aquí, donde los mejicanos nos han acogido fraternalmente.

—No he dicho que el español no tenga amigos; he dicho que tiene pocos. Y esos pocos podrán ser los mejicanos, pero ¡anda!, que los franceses, los ingleses...

—No; si a testarudo no hay quien te gane ¡Cómo se nota que eres aragonés...! No hay forma de meterte en la cabeza el que se cogen más moscas con miel que con hiel.

—¿Y para qué quiere uno coger moscas? Lo que uno quiere coger son peces y ésos no se pescan con cebo sin anzuelo; aunque no pueda decirse que ése sea mi caso.

—Si me permites un inciso —intervino el oyente— quiero referirte una experiencia mía a propósito de los comunistas. A finales de los 50 vi en un cine de París un documental de propaganda soviética titulado «Dos horas en la URSS»; en él no aparecía una sola persona que no exhibiera una sonrisa deslumbrante de felicidad. Años después, en un viaje que hice a la Unión Soviética no recuerdo haber visto sonreír a nadie; el ruso es el ser más adusto que he conocido

¡Cómo me sonaron entonces a moneda falsa aquellas sonrisas cinematográficas!

—Así es. Durante la Guerra Civil circuló por España un cartel de propaganda con los rostros de nuestros comunistas: la lbárruri, José Díaz, Lina Odena, etc., y todos con la máscara convencional de esa sonrisa.

—Que de ganar la guerra no les hubiera durado mucho. Lo mejor que puede ocurrirles a los comunistas es perder las guerras porque cuando las ganan lo pasan muy mal purgándose entre ellos.

—Bien; pues como estaba contándote, a la mañana siguiente entré en el Café España. El primero a quien encontré fue a don Ángel Lázaro que, al verme, volvió la cabeza. Yo sabía que no era comunista, así que lo atribuí al miedo de que los comunistas le vieran departir conmigo. Me sentí dolido porque era una gran persona. Ya ves; yo soy capaz de hablar elogiosamente de alguien que haya renegado de mí y eso es algo que no he conocido a nadie capaz de hacerlo. Una voz me llamó; era el Viejo de la Montaña. Sonriente, me hizo señas de que me acercara a su mesa.

—¿Quiere usted sentarse?

—¿Quiere usted que me siente?

Respondió con un gesto muy expresivo, como diciendo: «Yo paso de las inquinas de los demás.» Me senté.

—Así que nos hemos metido con los comunistas —empezó diciendo divertido.

—¿Ya lo sabe usted?

—No se habla de otra cosa; y ya puede figurarse lo que dicen.

—Seguro que me llaman fascista.

Soltó la carcajada:

—Ha dado usted en el clavo.

—No hace falta tener mucha imaginación para adivinar lo que dicen los que no tienen ninguna imaginación.

—Y cuentan que la otra mañana insultó usted a Francia e Inglaterra por haberle declarado la guerra a Hitler.

—«De cómo una verdad a medias puede ser manipulada hasta convertirla en una completa mentira.»

—Ahora están sacando a relucir todos sus trapos; no sé qué historia de una charla suya por Unión Radio en que se reveló como faccioso costándole el puesto.

—En parte es verdad, pero a saber cómo lo cuentan.

—¿Cómo van a contarlo los comunistas?

—Menos mal que usted no lo es.

—Pues se equivoca, Castro; yo no apruebo a los comunistas pero creo en el comunismo. El comunismo sería el sistema ideal si los hombres fuéramos ángeles, pero los hombres somos demonios y al llevarlo a la práctica ocurre lo que con las religiones; se degenera hasta las aberraciones mayores.

Acabó su café y siguió:

—En el fondo, ¿cuál es la base de las ideologías políticas? Los ricos agradecen a sus padres el haberles traído al mundo en una situación de bienestar que les asegura una existencia próspera; son las derechas conservadoras, satisfechas con su status. Los pobres aborrecen íntimamente a unos progenitores que les han hecho nacer a un nivel de privaciones y estrecheces; son las izquierdas inconformistas que desean subvertir un estado de cosas que no les conviene. Detrás de todas las revoluciones y de todos los revolucionarios no suele haber más que las hambrunas de una infancia de penuria y la severidad de unos padres amargados por la miseria (y delante un automóvil americano, una lujosa estancia y una pingüe cuenta en dólares). En una entrevista con Emil Ludwig, Stalin declaró que sus padres habían sido pobres *pero* buenos con él; una salvedad muy significativa. Revolucionarios y conservadores: eso es algo meramente circunstancial.

—¿Y usted a qué grupo pertenece?

—Yo soy un caso aparte. Mi padre era hombre rico que me proporcionó una juventud suntuosa, pero al mismo tiempo era cerril, retrógrado e intratable. Fue él quien me inspiró una frase que hizo fortuna entre los artistas de vanguardia. «El que no se avergüenza de su padre merece que se avergüencen de él.» En realidad, el odio hacia el dictador de los revolucionarios no es sino la transferencia de la fobia hacia el propio padre.

Observé atentamente a aquel personaje enigmático:

—Me gustaría conocerle mejor. Es usted un sujeto tan interesante como difícil de clasificar.

—El Hombre se empeña en clasificarlo todo y cuando reconoce la imposibilidad de hacerlo se consuela con aquello de que la excepción confirma la regla. Pero puede usted clasificarme simplemente como escéptico aunque, ¡mucho ojo! no como incrédulo. El incrédulo no cree en nada; el escéptico considera que todo es posible; el incrédulo solamente confía en su inteligencia; el escéptico piensa que puede ser inteligente.

—Entonces usted cree que todo es posible.

—Excepto la posibilidad de arreglar el mundo; ya le he dicho que siempre hay excepciones. La Humanidad lleva milenios cometiendo barbaridades: los propagandistas de la política dicen que han mejorado las cosas; que se han suprimido la tortura, la esclavitud, los genocidios, que se han humanizado las guerras... Pero torturas, guerras, esclavitud y genocidios siguen existiendo; en lo único en que se ha progresado ha sido en la artería de cometerlos de forma más hipócrita, solapadamente, inventando justificaciones para esas fechorías. Eso es Historia, amigo, y para rebatirla los politicastros han inventado ahora lo de «la falacia de la Historia». El mundo, por fin, van a arreglarlo ellos. Ahora hay hombres buenos y sabios.

—Entonces, si el mundo no tiene arreglo, ¿qué podemos hacer?

—Lo que hacemos: esperar la muerte esquivando las embestidas de la vida tal como hace el torero con el toro. Y pensar lo menos posible porque pensar conduce inexorablemente a sentir ¿Sabe cuál ha sido mi conclusión? Pienso, luego no debería existir.

[138]

Se interrumpió para dirigirse al camarero:

—Otro café, Rosendo; y tráigale uno al señor.

Escuche, Castro; el Hombre no es el culpable de ese estado de cosas sino el Ser Supremo que ha creado así el universo haciendo que la existencia sea una lucha despiadada para todos los seres vivos. ¿Conoce usted alguno para el que la vida transcurra plácidamente, sin penalidades, sin temores, sin esfuerzo? Observe usted ese pajarillo que está picoteando las migas que alguien le ha puesto en el alfeizar de la ventana; coge una rápidamente y enseguida revuelve la cabeza a todas partes vigilando temeroso antes de coger la siguiente. Y repite la operación constantemente. Pues esa alerta suya no le evitará acabar en las zarpas de un leoncillo o en las garras de un gavilán. Él lo sabe y su breve existencia es una zozobra continua. Y como él todos los seres vivos; los herbívoros temiendo a los predadores y éstos esforzándose al máximo para darles caza, atemorizados mientras tanto por haber dejado solas a sus crías expuestas a otros predadores. Y el Hombre, amigo mío, es el más desdichado de todos. Tres cuartas partes de la Humanidad padecen hambre; y el resto ¿qué les ocurre a ustedes, los exiliados, que comen todos los días? ¿Acaso son felices? Y los vencedores de la guerra de España, ¡qué problemas tendrán!

El Viejo de la Montaña dio un sorbo y siguió:

—Hay una leyenda muy bonita de unos ángeles malos que se rebelaron contra un dios infinitamente bueno, sabio y poderoso; el dios los venció condenándoles al infierno. Esta leyenda sería más lógica si dijera que los ángeles malos habían triunfado. Entonces habrían creado el universo a su semejanza, tal como es; un dios bueno no lo habría hecho así. ¿Sabe usted por qué se santifica el domingo? Para celebrar el que Dios dejara de inventar cosas. No se haga ilusiones, Castro, el Hombre nada puede contra esos antiteos que dominan el orbe instaurando la maldad y el dolor.

—Siempre puede hacerse algo. Usted ha reconocido que hay excepciones, por ejemplo, hombres felices. Lo que puede hacerse es que su número sea el mayor posible.

—¡Hombres felices! ¿Sabe usted de alguno?

—A lo mejor usted mismo.

—No es oro todo lo que reluce. Usted conoce de mí la apariencia de un hombre rico, tranquilo, que vive plácidamente, sin problemas. Pero yo también tengo mis frustraciones. En mi juventud aspiraba a la edad madura en que habría alcanzado una posición, y ahora añoro mi juventud, cuando podía seducir a un linda chamaquita como esa que estamos viendo.

—Yo creí que era usted misógino.

—Una cosa es desear a la mujer y otra justificarla. Lo único que sabe hacer la mujer es un hombre; y tampoco se muestra muy original; siempre le saca parecido a algún amigo del marido. No se haga ilusiones, Castro. En la vida uno cree que va a ser feliz hasta que empieza a pensar que ya lo ha sido. La felicidad es una tregua que los dioses venden muy cara. Considere usted el caso Lindbergh: después de su epopeya cruzando el Atlántico es recibido en su país en olor de multitud con un delirio de aclamaciones y recibiendo los máximos honores y distinciones ¿Y después? Le secuestran y asesinan un hijo. Esa horrenda amargura es el pago que le han impuesto los dioses a cambio de su gloría.

—Sí; la realidad puede ser desoladora pero nos quedan la ilusión, la esperanza, los sueños.

—Y la religión, ¿por qué no? Los creyentes son como aquella gallina de un cuento de Andersen que instruía a sus polluelos ponderándoles lo grande que era el mundo; grande, grandísimo, tan grande que llegaba hasta más allá de la casa del molinero. Y todos contentos.

—Tal vez en el engaño consista la felicidad.

—Cuyo colofón es el desencanto.

—Yo tengo la esperanza de volver a una España republicana y estoy seguro de que esa ilusión se hará realidad más pronto o más tarde ¿Será ese final una desilusión?

—¡Pobre España cuando vuelvan a ella esos exiliados correligionarios suyos! Están cargados de odio con el rencor

acumulado estos años de destierro y por sus ansias de vengan-
za. Se entregarán al saqueo, el pillaje y la rapiña, y se apropia-
rán de los cargos y de las sinecuras aplastando a los demás
porque piensan que todo se les debe. Siempre han inventado
eufemismos para la palabra «robar»; antes decían «requisar»,
ahora dirán «restituir». En esa España vindicativa tampoco
podrá usted ser feliz.

Esas palabras, del Viejo de la Montaña, tan descalificadoras
para los míos, me ofendieron profundamente:

—No sé qué experiencias habrá tenido usted —le dije—
para destilar esa amargura. En todo caso, yo no quiero conta-
giarme de ella. Gracias por el café.

Y me marché con el propósito de no volver a hablar nunca
más con él.

Capítulo XV

PEDRO MENDIZÁBAL

Nada turbaba la placidez de la noche alcoyana. Cuando el narrador interrumpía su relato el silencio era absoluto. Reflexionó unos segundos evocando sus recuerdos y siguió:

—Al día siguiente volví al Café España, pero detectando en el ambiente miradas nada acogedoras me marché a la cantina de un hotel. Estando yo en la barra apareció un hombre de mediana edad, cabello entrecano, porte distinguido, que al verme se quedó clavado con expresión de desconcierto. Me acerqué a saludarle:

—¿Cómo está usted, don Pedro? ¡Cuánto tiempo hace que no nos veíamos!

Un tanto cortado respondió a mi saludo.

—¡Vaya, otro comunista! —pensé. No me lo imaginaba en un vasco como él; pero cambié de idea cuando le oí decir:

—Me alegro mucho de volver a verle, Castro. No he olvidado cuánto le debo.

Sin embargo no salía de un evidente embarazo. Yo, sin saber lo que ocurría, intenté distender la situación.

—¿Quiere usted tomar una copa?

—No sé si debo aceptar.

—¿Por qué no? —repliqué, ya francamente molesto.

—Por mí aceptaría encantado pero no creo que usted quiera convidarme.

Le miré en silencio esperando una explicación.

—Usted estará aquí como exiliado —me dijo— pero yo he venido en representación del gobierno de Franco.

Yo había conocido a Pedro Mendizábal en Madrid a principios de la guerra en un viaje que hizo desde Bilbao para no sé qué gestión comercial. Yo había ido al hotel Gaylord's atraído por la presencia de algunos personajes extranjeros: Hemingway, Dos Passos, Orwell, Flyn, Malraux y otros que habían venido a España a prestar su apoyo a la República y, de paso, a hacerse publicidad colgándose medallas y ciñéndose coronas de laurel como decían mis coplas. Y estaba yo en el bar del hotel con mi colega Folgueras cuando apareció Mendizábal y Folgueras nos presentó. Cambiamos algunas frases convencionales de cortesía y me despedí. Mientras esperaba el tranvía en la calle de Alcalá a pocos pasos del Gaylord's percibí un alboroto y vi que unos milicianos pretendían meter a Mendizábal por la fuerza en un furgón. Al separarse de Folgueras en la puerta del hotel había levantado la mano en señal de despedida y los milicianos habían interpretado su gesto como el saludo fascista. Mendizábal iba bien vestido y con corbata ¿para qué querían más? Acudí en su auxilio y mostrándoles a los milicianos mi carnet de periodista identificándome como «El Cantor de Madrid» conseguí que le dejaran ir. Mendizábal se mostró muy agradecido; posiblemente yo le había salvado la vida y él lo sabía. Luego descubrí en él cualidades que me gustaron y cuando, días después regresó a Bilbao quedamos los mejores amigos.

Ahora, al confesarme su situación actual me sentí desconcertado. Era el primer tránsfuga con quien me topaba y no supe cómo reaccionar.

—Quedamos en muy buenos términos usted y yo cuando fui a Madrid —siguió diciendo— y me gustaría que usted me diera ahora la oportunidad de justificar mi cambio de conducta; a menos que le preocupe el que sus correligionarios le vean en mi compañía.

—Que les zurzan —pensé. La simpatía que me había inspirado Mendizábal cuando le conocí no empañaba el reconocimiento de tenerle ahora como enemigo. Me acordé además de Carlos Elizondo, el afectuoso falangista que conocí en la República Dominicana.

—No me importa lo que piensen —dije en voz alta—. Y siempre hay que darle una oportunidad a un amigo.

Me estrechó la mano diciendo:

—¿Puedo invitarle a comer y así charlamos?

Pasamos al restaurante del hotel; allí me contó su historia:

—Yo había consagrado toda mi vida a mi fábrica de Guecho. Empecé con quince obreros y llegué a tener trescientos. Usted no puede figurarse los desvelos que eso me costó. Yo llegaba a la fábrica el primero y me iba el último; y dándole vueltas en la cabeza a los problemas de la producción. Gracias a ese esfuerzo continuado la fábrica marchaba prósperamente. Eso me permitió asignar a mis empleados los sueldos más altos del ramo. Siempre estuve en las mejores relaciones con ellos. Pero llegó la República y empezaron los problemas; al estallar la guerra la situación empeoró. Y fue precisamente aprovechando el viaje a Madrid en que le conocí a usted que un comité obrero se incautó de la fábrica; cuando volví me encontré la puerta cerrada, intenté dialogar con ellos pero estaban envenenados; toda la inquina que les habían inculcado los agitadores profesionales reventó en aquel momento. No hubo forma de llegar a un entendimiento; ni haciendo yo todas las concesiones. Habían resuelto echarme y me echaron. Recurrí entonces a mi amigo José Antonio Aguirre, pero ¡fíese usted de la amistad de los políticos...! Sencillamente, me quedé en la calle; y sin nada porque todo lo tenía invertido en la fábrica. De haber durado más la situación mi familia hasta habría pasado hambre. Pero entraron los nacionales: inmediatamente me devolvieron la fábrica e incluso me concedieron créditos para levantarla porque no hace falta decir que el comité obrero, una partida de ineptos que creían saberlo todo y no sabían nada, había llevado la fábrica al borde de la quiebra destruyendo mi labor de tantos años. Es claro que la ayuda de los nacionales no era por altruismo; necesitaban lo que producía la fábrica; pero el hecho era que yo volvía a ser dueño de lo mío recuperando el medio para mantener a mi mujer y a mis seis hijos. En estas circunstancias me pidió el ministro de Industria que actuara como gestor comercial en Méjico y no tuve más remedio que aceptar.

—¿De modo que Méjico tiene relaciones comerciales con España?

—Una cosa es la política de Estado y otra la económica. Cuando tintinea la platita, como dicen aquí, la demagogia se calla. ¿Sabe usted que a pesar de ser enemigos políticos lo mejicano está de moda en España? Cantinflas, María Félix, Jorge Negrete, Agustín Lara, Irma Vila, el Trío Calaveras...

—En el caso de usted, renunciar habría sido lo heroico pero nadie está obligado a ser héroe donde nadie da el ejemplo.

—Me alegra que piense usted así; lo interpreto como una aprobación a mi conducta.

Habían servido la comida. Charlamos de bagatelas mientras dábamos cuenta de ella —hacía tiempo que no comía yo tan bien— y a los postres me dijo:

—Bueno; ahora hábleme de usted. ¿Cómo le va?

—Mal.

—¿Quiere decir económicamente?

—Económicamente también.

Y le conté mis problemas con los exiliados mientras él permanecía callado. Después me dijo:

—Escuche, Castro: para mí resulta engorroso tener que desplazarme a Méjico cada dos por tres. Me interesaría tener aquí una persona en quien poder delegar. Usted podría ser mi hombre de confianza.

—¡Lo que faltaba! Regalarles esa baza a mis enemigos estalinistas para que acabaran de desacreditarme: ¡Trabajar yo para Franco! Me crucificarían. ¿Sabe lo que dicen que soy?

—Fascista.

—Obviamente.

—En España ocurre la recíproca. Allí el insulto de moda es «rojo»; se lo adjudican a todo el que no está incondicionalmente con Franco: los monárquicos, los falangistas, los requetés, todos son rojos. En cuanto se disiente un poco...

—Pero por lo menos ustedes saben lo que significa ser rojo aunque luego lo apliquen arbitrariamente. Yo apostaría a que el 99 por 100 de los que aplican la palabra «fascista» como insulto ignoran lo que es el fascismo.

—Eso es probablemente cierto —comentó el otro Gabriel Castro.

—¿Verdad? Bueno, pues seguí diciéndole:

—Además yo no quiero trabajar para Franco; es una cuestión de principios. Comprendo el que usted le esté agradecido pero yo no tengo nada que agradecerle. Lo que sí estoy pensando es en volver a España y usted podría ayudarme a conseguir una amnistía, si es que la necesito.

—¡Y tanto que la necesita! Pero ni yo ni nadie podemos conseguirle esa amnistía.

—¿Por qué no? Yo ni siquiera he ido al frente; no tengo las manos manchadas de sangre.

—Pero las tiene «manchadas de incienso». Usted ha atacado a la Iglesia, aunque sólo haya sido verbalmente, y en la España actual eso no se perdona. Ustedes, los republicanos, dicen que la España de Franco es un cuartel; sería más cierto decir que es una congregación religiosa en un auto de fe. Franco sabe que España no es una república hispanoamericana donde un generalito da un golpe de Estado y se queda ahí, sin más, hasta que otro generalito le echa. España es Europa y un gobierno presidencialista necesita tener un contenido ideológico para sostenerse. Ese contenido, no encontrándole en ninguno de sus aliados políticos, lo ha buscado en la Iglesia. La única justificación que puede alegar a su toma del poder es la de haber librado a España del ateísmo marxista (y, de cara a los países capitalistas, la de haber evitado la extensión del comunismo); esa es la carta que él juega. En cada aldea, en cada pueblo, en cada barrio de cada ciudad hay un párroco que desde el púlpito canta las alabanzas del caudillo salvador de la religión. La Iglesia es una maquinaria propagandística formidable y Franco la ha puesto a su servicio. Pero la Iglesia no iba a dejar de pasarle la factura y Franco se ha visto obligado a concederle una serie de privilegios y prerrogativas como la Iglesia no había disfrutado nunca, ni siquiera en los tiempos de la Inquisición. El clero es hoy el primer poder de España y la Iglesia es rencorosa e implacable con sus enemigos; las guerras de religión, las quemas de herejes, las excomuniones... son el testimonio de una mentalidad ferozmente vindicativa que se abatiría sobre usted. Esté seguro de que se la tienen guardada. En la España de hoy sería preferible pegar a un guardia que insultar a un cura. Y usted ha cargado bien la mano contra ellos ¿Cómo era esa canción, *María* creo que se titulaba? Cuéntemela; no recuerdo bien la letra.

Y se la recité:

> María, María,
> era una bella flor
> virgen en el amor,
> que quería y tenía
> ante todo su honor,
> pero la vida, María,
> hubo de llevarte a otra vía.
>
> Un día, un día,
> un mal día ¡ay, dolor!
> se la llevó un señor
> en un auto de sport
> para hacer el amor,

y se fue como quería
dejando desnuda a María.

Venía, venía,
en el punto a pasar
cerca de aquel lugar
un buen cura su misa
con prisa a cantar
y, al ver a María desnuda,
pensó: ¡qué mujer pistonuda!

Y el cura, el cura,
con ardor la miró
y la sotana quitó,
pero que nadie piense
que nada pasó
pues, según la historia explica,
el cura era medio marica.

Decía, decía
que él su ropa ofreció
pero ella no aceptó:
—Padre; sus atenciones
no merezco yo,
porque ya soy prostituta
y los niños me llamarán puta.

Y el cura, el cura
la mano le estrechó,
la frente le besó
y con mucha ternura
de cura le habló:
—Ego te absolvo, María,
lo mismo fue la madre mía.

Don Pedro soltó la carcajada; luego se puso serio:
—Por esa canción, Castro, le fusilarían a usted si pusiera los
pies en España.

—¿Crees tú, Gabriel, que había exageración en lo que decía?

—Se han dicho no ya exageraciones sino las mayores mentiras de la España de Franco pero en este caso es muy probable que fuera así. Yo también he conocido una experiencia desoladora del clero: Durante la guerra tenía yo bajo mi mando un destacamento con el cual entré en un pueblo de La Rioja, afecto hasta entonces a la República, sin disparar un tiro. Me alojé con mis hombres en el Ayuntamiento y esa noche recibí la visita a hurtadillas del párroco; venía a traerme una lista de los rojos de la localidad con el ánimo de que los hiciera fusilar. Naturalmente, me negué. «¿Y usted es un patriota?» —me recriminó—. «¿Y usted es un religioso?» repliqué.

Al día siguiente recibí orden de abandonar la posición y volvieron los tuyos. El padre Argimiro, que así se llamaba, contó en el pueblo que yo iba dispuesto a hacer una sarracina y que gracias a sus buenas oficios renuncié a las ejecuciones. Cuando entraron los nuestros definitivamente, la lista de los rojos fue a parar a un compañero de armas menos escrupuloso y hubo varios fusilamientos; seguramente por el pecado de no ir a misa o de vivir en concubinato, Y hubo también un cura, el padre Martín Torrent, que envidiaba a los rojos fusilados la suerte de saber en qué momento iban a morir para ponerse en gracia con Dios; y deploraba el que muchos carlistas cayeran en el frente estando en pecado.

—Sería jesuita y los jesuitas tienen la cabeza como las chinas los pies.

—Yo comprendí las razones de Mendizábal y me consolé de no poder volver a España considerando la miseria que reinaría allí.

—También en eso habría exageración. Los cuarenta fueron años difíciles pero la propaganda antifranquista cargó las tintas.

—¿No se vivía mejor en la República?

—Eso se decía. «Antes de la guerra» se convirtió en una frase proverbial durante la postguerra. El que siempre fuera un pobrete presumía de las riquezas que había poseído «antes de la guerra» y que, a consecuencia de ella, había perdido. Todos los parias habían sido próceres «antes de la guerra». La guerra era el pretexto para justificar su indigencia y tanto se abusó de esa muletilla que llegó a convertirse en el leit-motiv de muchos chistes como el del cojo que «antes de la guerra» había tenido tres piernas. Se evocaba la República como el paraíso que no fue jamás.

—Al despedirse Mendizábal me dio sus señas en Guecho, donde vivía, y pocos días después se fue de Méjico. Yo también me marché y nunca le escribí Al volver a España he sabido que falleció. Lo he sentido; era una gran persona.

Bien; pues antes de partir quise saldar la deuda que había contraído con Fajardo: las dos mil quinientas pesetas que me prestó en Madrid para aportar a la compra del Hispano. Fui a verle y le encontré —¿cómo no?— en compañía de su querida. Cuando saqué el dinero para entregárselo, a la mejicana le brillaron los ojos de codicia y me lo arrebató de un zarpazo diciéndole a Fajardo mimosamente:

—Estos pesitos, no más, para tu cholita, ¿verdad, mi amor?

Y a él se le cayó la baba complacientemente.

No puedes imaginarte la rabia que me entró al pensar que ese dinero que tantos sacrificios me había costado reunir fuera a parar a aquella zorra. Salí furioso, no tanto contra ella como con Fajardo y conmigo mismo. Nunca como entonces pensé lo de «¡Si las cosas se hicieran dos veces...!».

—Si las cosas se hicieran dos veces diríamos: «¡Si las cosas se hicieran tres veces...!»

—Puede que tengas razón.

El narrador carraspeó.

—¿Te cansas de hablar?

—¿Te cansas tú de escucharme?

—¡De ninguna manera!

—Pues yo tampoco; así que sigo.

Capítulo XVI

SUDAMÉRICA

En vista del panorama tomé la decisión de marcharme de Méjico y salí de la capital con la idea de no volver más. Yo me había ganado la vida allí como profesor de español; te explicaré: entre los exiliados españoles estaba un prócer catalán, dueño o ex dueño de una fábrica textil en Sabadell. Furibundo separatista no había permitido el que sus hijos, cuatro chavales de siete a doce años, aprendieran el castellano y, al llegar a Méjico se encontró con que no podía llevarlos a ningún colegio. Entonces tuvo que resignarse a buscarles un profesor que les enseñara a hablar castellano y ése fui yo. Como los alumnos eran cuatro y las clases intensivas me pagaba lo bastante para que yo pudiera mantenerme sólo con eso. Pues bien; uno de aquellos días me dijo que los niños ya habían aprendido lo suficiente y que las clases quedaban suprimidas. No me pega que el propietario de una industria fuera comunista ni creo que los estalinistas le coaccionaran para que prescindiera de mis servicios, pero el hecho era que en el mal ambiente que me habían creado me sería difícil encontrar trabajo. Por otra parte, me había decepcionado el ver que algunos compatriotas a quienes yo había tenido por amigos, como Ángel Lázaro, se distanciaran de mí quizá por miedo a los comunistas. Tampoco me agradaba ya el Viejo de la Montaña y, en cuanto a mis amigos leales, Velasco se había ido a Monterrey y Fajardo seguía encoñado con su chamaquita y no vivía más que para ella. De manera que decidí abandonar un país donde la atmósfera se me había vuelto irrespirable. Y eso que no me habían afectado cosas como la que he sabido después: Recientemente, en un cataclismo que ha asolado Méjico y en el cual, como siempre, pagan las consecuencias los más humildes, diversas naciones han aportado ayuda humanitaria: alimentos, medicinas, ropa, y los empleados de las aduanas no la dejaban pasar si no les pagaban la «mordida». Supongo que después, con las comisiones y otros robos las ayudas se habrán quedado por el camino sin llegar nada a los «pelaos».

—¿Conoces una frase que se atribuye a Porfirio Díaz?: «¡Oh, Méjico, Méjico! ¡Tan lejos del Cielo y tan cerca de los Estados Unidos...!».

—El Méjico al que yo llegué no era tan nefasto pero en parte lo volvieron así los exiliados. En fin; salí para Veracruz con la idea de embarcar allí hacia donde fuese, me daba igual un país que otro, pero al llegar al puerto descubrí con sobresalto el barco turco que me había llevado de Marsella a Santo Domingo. El capitán, a quien yo había vapuleado, no era de los que olvidan; me la tendría guardada y si compraba a la policía podría yo verme metido en un buen lío. Antes de correr el riesgo de toparme con él me volví a Méjico capital, pero no para quedarme sino camino de otro puerto; Acapulco. Allí había menos movimiento de barcos. Tuve que esperar una semana a que partiera uno que hacía una travesía de cabotaje con escalas en diversos puertos y destino final Santiago de Chile. Como me daba lo mismo un país que otro saqué pasaje para un trayecto corto que sería más barato, y así elegí Panamá donde pensé que el canal generaría riqueza y ofrecería más posibilidades. Me equivoqué; allí solamente vivían bien los yanquis de las tropas de ocupación.

El día que desembarqué hallé un gran ambiente de pachanga: bandas de música, desfiles, flores... Cómo no era probable que aquello hubiera sido organizado para recibirme a mí, pregunté a un mestizo:

—¿Qué pasa hoy aquí?

—Es el día del *Thanksgiving*.

—¿Y eso qué es?

—Una fiesta profana en que los gringos hacen una acción de gracias por ser estadounidenses.

—Bien que los gringos den las gracias, pero ustedes ¿qué celebran?

—Nosotros las damos por no serlo.

—Si bien no tuve opción a abrirme camino en Panamá, al menos me distraje un tiempo: En el hotel donde me alojé, plagado de invasores, después de cenar los maridos se dedicaban a jugar al póker y a emborracharse con bourbon mientras las esposas se aburrían haciendo tertulias en los salones. Era la ocasión que yo aprovechaba para pasearme por ellos exhibiendo la llave de mi cuarto como quien no quiere la cosa. Luego, al retirarme a mi habitación no transcurría mucho tiempo sin que sonaran unos discretos golpes en la puerta apareciendo una yanqui que, con un cigarrillo en la mano me preguntaba si podía darle fuego: «Yes, madam, please, come in», chapurreaba en americano y cerraba la puerta detrás de ella. Por cierto; hubo una que me exigió un certificado médico de que yo no padeciera sífilis; la mentalidad estadounidense es así. No necesito decirte que la mandé a hacer puñetas. En conclusión; te diré que si la dificultad de seducir a una mujer está entre lo que se cree y lo que se dice, tratándose de las estrellas de las barras ni el más fanfarrón exageraría.

Al cabo de unos días, no viendo en aquel país otra posibilidad que la de hacer de *latin lover,* seguí mi periplo en busca de algún lugar que pudiera ofrecerme algo más positivo aunque menos deleitoso. Ese destino fue Buenaventura, en Colombia. Desembarqué y viendo que aquel era un pueblo sin vida me trasladé seguidamente a Bogotá. Me busqué una pensión barata en el barrio de la Candelaria y el mismo día de mi llegada salí a dar una vuelta por la calle de Santa Fe.

Iba yo caminando a la ventura cuando, entre la muchedumbre que poblaba la avenida vi a lo lejos un rostro conocido. Nos quedamos mirándonos fijamente a medida que nos acercábamos el uno al otro y luego, al reconocernos, corrimos a abrazarnos: era Orduña. Vinieron las preguntas atropelladas, pero luego, para más sosegadas respuestas, nos sentamos en un café ante dos refrescos de guanábana.

—A Fajardo acabo de dejarle en Méjico; él me ha contado que de Marsella os fuisteis a París; que allí no conseguisteis nada ni del gobierno francés ni del nuestro exiliado, de manera que renunciasteis a recuperar el Hispano y que él se fue a Méjico con lo puesto. Pero de vosotros no ha vuelto a saber nada.

—Pues mira; acordamos quedarnos en Francia, a pesar de lo mal que nos habían tratado los franceses, para estar más cerca de España a donde decían nuestros políticos que no tardaríamos en volver; la guerra contra Alemania parecía inminente y eso supondría el final del fascismo. Cantos de sirena que se desvanecieron cuando los alemanes entraron en tromba en Francia. Entonces decidimos poner tierra por medio. Domínguez, desencantado, se resignó a volver a España. Estuvo unos meses en prisión y luego le soltaron aunque no le restituyeron su puesto en correos; sé que puso una tiendecita y que no le iba mal. Cabrero se fue a la Unión Soviética.

—Pero ¿no había estado afiliado al POUM? Eso era meterse en la boca del lobo.

Orduña se encogió de hombros:

—¿Qué quieres que te diga? Él pensaría que allí no se conocerían esos antecedentes suyos. El caso es que se fue y no he vuelto a tener más noticias. En cuanto a mí, también recalé en Méjico, pero a poco de estar allí una niña chole, que tenía dos hermanos «muy machos», me reclamó su honra y, por si a mis presuntos cuñados les parecía darle gusto al gatillo y dado que todavía no me apetecía reconocerme padre, puse pies en polvorosa y aquí estoy viviendo la vida. Y ahora cuéntame tú. ¿Dices que has visto a Fajardo en Méjico? Yo no le encontré.

—Allí le he dejado en brazos de una chamaca, que no tiene ojos ni oídos más que para su cholita.

—Siempre le gustaron mucho las bragas. Recuerdo que en París estuvo a punto de liarse con una *demoiselle,* pero en cuanto ella le conoció lo tronado le dio la boleta. Y ahora háblame de ti ¿Cómo has venido a parar a Colombia?

Le referí a grandes rasgos mis peripecias desde que nos separamos en Marsella hasta la tormenta desatada con las Coplas de Panadera.

—Siempre has tenido una lengua de carajo de la vela —me dijo— algún día ibas a tener un disgusto. Me acuerdo de las canciones que cantaste en aquel pueblo de La Mancha; eran muy duras.

—¿Y nos costaron un disgusto?

—¡Qué va! ¡Menudo banquete! En mi vida he comido mejor.

—El hambre que llevábamos.

—No lo creas. Yo prefiero una comida rústica a esas *delicatessen* de la cocina francesa.

—¿Cómo? ¿Tuvisteis dinero para probarlas?

—¡Quiá! Pero el día que fuimos a visitar a Negrín nos convidó a comer; no se trataba mal el hombre.

—Y tú, ¿cómo te las arreglas aquí?

—De momento dando clases de francés.

—¡Pero si no lo hablabas!

—Bueno; con un poco que aprendí los meses que pasé en Francia y mucho desparpajo voy defendiéndome. Cuando algún alumno me plantea una cuestión que desconozco le digo: «Esa es una pregunta muy interesante que merece el que le dediquemos una clase; recuérdamelo el próximo día.» Voy a casa, me empollo el tema en una gramática francesa, y en la clase siguiente le suelto una disertación que les dejo convencidos de que sé más francés que Malraux.

—Pero tú eres pintor, ¿ por qué no te dedicas a la pintura?

—Porque sé pintar.

—Y yo, ¿qué crees que podría hacer?

Me contestó con el mayor aplomo, como si la respuesta fuera obvia:

—Dar clases de guitarra.

—¡Pero si ni siquiera sé solfeo! He aprendido a tocar por un método cifrado.

—Pues enseña el método cifrado. Mira, Gabriel: Hispanoamérica es el país de los ciegos; no te acoquines y saldrás adelante.

En mala hora seguí su consejo. Me presenté arrogantemente en el Conservatorio de Bogotá para ofrecerme como profesor de guitarra. Con un poco de juicio hubiera previsto lo que ocurriría: me pusieron delante una partitura para que la tocara. Luego pensé, demasiado tarde, que podía haber alegado el dejarme las gafas en casa y evitarme así el bochorno que pasé. Salí del Conservatorio con el rabo entre las piernas y tan descontento con mi guitarra que no me importó cuando, días después, tuve que venderla para poder comer. Fue como quemar mis naves y también un gesto de despecho infantil. Luego me arrepentiría porque la guitarra había sido mi fiel compañera en los buenos y en los malos tiempos, pero la cosa ya no tenía remedio. «Ya compraré otra el día que quiera cantar», me dije, pero al final pensé que eso significaría una traición a mi vieja guitarra y no he vuelto a hacerlo.

Por fin conseguí un trabajo; era de corrector de imprenta. Sin embargo, eso no llenaba mis aspiraciones; hubiera querido trabajar como redactor de prensa. Alguien me comentó que sería más fácil en el Perú y allí me fui iniciando un periplo por las naciones sudamericanas que no te detallo porque ya va resultando demasiado larga la historia de mi vida y porque mis andanzas por aquellos países hasta llegar al Uruguay no tienen particular interés; vienen a ser como las de cualquier buscavidas que va de acá para allá persiguiendo una fortuna o al menos una situación estable que se le niega reiteradamente.

Pero antes de marcharme de Colombia, Orduña me hizo la siguiente proposición: considerando que como profesor de francés no llegaría a hacerse rico, se había metido ahora a astrólogo y formulaba horóscopos e interpretaba el Tarot prediciendo al porvenir. El buen éxito inicial le animó a ampliar el negocio y lo que me proponía era colaborar con él en sesiones de espiritismo. Todo lo que yo tenía que hacer era responder con golpes —los típicos raps— a las preguntas que me hiciera él «al entrar en trance» ante sus ingenuos clientes. Por complacerle, y también por divertirme, eso hice durante unas cuantas sesiones escondido en un armario; pero tampoco cifraba yo en eso mi porvenir, así que me fui al Perú dejando a Orduña un tanto desconsolado.

—Vosotros erais unos embaucadores, pero los fenómenos paranormales existen y, de hecho, la Parapsicología es una ciencia auténtica aunque no el Espiritismo. Ocurre que ese mundo está tan pervertido por los charlatanes —astrólogos, cartomantes, espiritistas...— que ya todo parece embeleco. Pero, dime: ¿dónde no hay farsantes? Los hay en el Arte, la Ciencia, la Política... los hay en todas partes.

—Sí; eso es cierto. Bueno; pues habiendo fracasado también en Lima mi intento periodístico, pasé luego a Bolivia y a Paraguay y a Chile y así anduve unos años dando tumbos por aquellos países y probando todos los oficios incluso el de actor de teatro.

—¡Hombre, no me digas!

—Pues sí; hasta eso. Y, por cierto, tuve que acostumbrarme a pronunciar las ces y las zetas como eses. En realidad sólo actué en una obra titulada «Gran Chaco» que era una denuncia de las infames intrigas de Estados Unidos en Iberoamérica. En el argumento de aquel drama, trasunto de la realidad histórica, sabedores los yanquis de la potencial riqueza petrolífera del Gran Chaco fomentaban una guerra entre Bolivia y Paraguay por su posesión. Lo que ellos buscaban era arruinar a ambos países con una sangría que hicieron durar siete años para luego ofrecerse generosamente a su reconstrucción a cambio de concesiones exclusivas para explotar el petróleo a su beneficio. Yo representaba a un hombre bueno que conocedor de las falacias de los gringos se les enfrentaba siendo asesinado por ellos en la escena final. Mis últimas palabras eran: «Este es tu petróleo, yanqui: la sangre de los pueblos inocentes.» El éxito de la obra fue rotundo pero el embajador de Estados Unidos reclamó, o mejor dicho amenazó, y tuvieron que retirarla del cartel.

Pasé luego a la Argentina y en Buenos Aires me encontré con un exiliado español y ¡qué casualidades tiene la vida!, hablando con él resultó ser el marido de Amparito Vallés, ¿te acuerdas de ella?

—Ya lo creo; era una muchacha muy guapa, mayor que nosotros, que la veíamos inalcanzable. Pero los Vallés no eran de Aurín sino de Valencia y lo que ocurre es que veraneaban allí donde tenían su casa solariega.

—Exacto; el marido sí era valenciano y, según me contó, a mediados de los cuarenta se comprometió políticamente con unos revolucionarios, la policía de Franco le detuvo y finalmente logró evadirse del presidio y tuvo que expatriarse a Argentina.

—¿Eso te dijo? ¡Qué cara más dura! Yo conozco mejor su historia; el pájaro en cuestión era un vulgar estafador; hizo un desfalco, le metieron en la cárcel y al salir, en Valencia, que era todavía una ciudad provinciana donde todos se conocían y le señalaban con el dedo por la calle, no encontrando quien le confiara un negocio tuvo que largarse a América dejando a Amparito y a sus hijos en la miseria.

—¡Qué desfachatez! ¡Cuántos que van por ahí de mártires de la libertad y dándoselas de víctimas del franquismo no serán otra cosa que delincuentes comunes...!

Pues bien; en Argentina tuve la mala ocurrencia de unirme a un complot contra el gobierno; en realidad, buena ocurrencia porque al tener que huir de la policía peronista me refugié en Uruguay y gracias a eso conocí a la que había de ser mi esposa. Celinda era una rica heredera, pero no creas que mi boda tuviera la intención de un braguetazo; me casé sinceramente enamorado y los veinte años que duró nuestro matrimonio y que vivimos en la mejor armonía fue la época más feliz de mi vida.

Capítulo XVII

RECUERDOS

—Se acabó la botella; deberíamos haber encargado otra.

—No sé tú, pero yo estoy un poco piripi.

—Sigue hablando y no te quedarás dormido.

—Celinda y yo fijamos nuestra residencia en una colonia campestre próxima a Montevideo, «La Chacra», donde Celinda poseía una hermosa finca, y así pude ver realizado mi sueño de vivir en el campo porque me sentía hastiado del tumulto de las grandes ciudades cosmopolitas, con sus prisas, su inseguridad y la lucha despiadada de sus gentes.

Allí me dediqué a la agricultura, más por entretenimiento que por necesidad ya que nuestra economía estaba sobradamente cubierta con las rentas de Celinda, y esa existencia bucólica colmaba plenamente mis aspiraciones. En aquella época Uruguay disfrutaba de una gran prosperidad que le ganó el apodo de «La Suiza de América», pero poco a poco ese bienestar fue degradándose hasta llegar al estado actual —al menos al que tenía hace cinco años, cuando me marché— en que ya no es ni sombra de lo que fue.

—Esa decadencia sería fomentada por los Estados Unidos a los que no interesa la prosperidad de ningún país de Iberoamérica para así tenerlos sometidos a su dominio económico. Lo mismo han hecho con el Líbano, que se llamó «La Suiza del Oriente Medio», desencadenado allí guerras sin fin. Lo raro es que no se hayan cargado también la Suiza de verdad.

—A lo mejor porque sea su cabeza de puente en Europa. Y, volviendo a su tiranía sobre Hispanoamérica, se atribuye a Bolívar la siguiente frase: «Los Estados Unidos parecen haber venido al mundo para, en nombre de la libertad, llenar de miserias a la América española.»

—En España decimos que los Estados Unidos tienen nombres de cafeterías excepto Washington, que se llama así por el padre de los estadounidenses, y Utah, que se llama así por la madre.

—En Sudamérica les llaman usasinos; y no les faltan motivos. El hecho de arrebatar Panamá a Colombia sólo puede calificarse de bandidaje de estado; y ese fue además el caso del vencedor que no sólo aplasta sino que además calumnia; los yanquis «se justificaron» ultrajando a los colombianos.

Según el dominicano Jacinto López, el ejército estadounidense se había deshonrado en Santo Domingo con las tropelías de todo género cometidas. Y un yanqui honesto —rara avis— H. B. Fuller, reconocía avergonzado el despojo a Méjico; y también la conquista de Florida aprovechando traidoramente el que la metrópoli española estuviera empeñada en su guerra de independencia. «Nunca realizó nadie —escribió el historiador Henry Adams— un acto tan arbitrario como el de invadir con un ejército sin previo aviso a un país sin otra justificación que la de reclamarlo como propio.» Y el embajador inglés escribió: «¿No hubiera sido más digno guardar el debido respeto a un pueblo valeroso en su lucha por la libertad?» ¡Dignidad! ¿Existe esa palabra en el vocabulario estadounidense?

—Tengo entendido que a Puerto Rico lo sometieron a un bombardeo tan criminal como el que llevaron a cabo en Brest durante la reciente guerra mundial. Un amigo bretón me refirió lo ocurrido. En un principio habían atacado la ciudad los stukas alemanes; bombardeaban lanzados en picado para alcanzar exclusivamente objetivos militares. Después, durante la ocupación alemana, bombardearon los spitfires ingleses; lo hacían en vuelo rasante con el mismo objeto. Cuando el desembarco estadounidense en Normandía, los libertadores yanquis instalaron una batería a cinco kilómetros de la ciudad y desde allí, sin correr riesgos, enviaron un aluvión de bombas que machacaron a la población civil.

Y lo ocurrido recientemente en Vietnam me ha colmado de satisfacción: por una vez en la Historia —al menos en la de Estados Unidos— el sacrificio y la tenacidad de un pueblo valeroso se ha impuesto a una horda criminal muy superior: medio millón de ¿hombres? dotados con los pertrechos más exterminadores, cometiendo las mayores atrocidades durante doce años contra una población civil al emplear los sistemas mortíferos más bestiales —cinco millones de toneladas de bombas, gases venenosos y otros productos degradantes— según ha denunciado Bertrand Russell.

—Los ingleses tampoco son quienes para tirar la primera piedra.

—Un inglés sí. Y surge la pregunta: ¿Con una capacidad logística superior y la máquina militar más poderosa del mundo cómo se explica la derrota de los Estados Unidos? Por la cobardía de sus combatientes.

Naturalmente, Hollywood ha inundado al mundo con hazañas bélicas que sólo han existido en la imaginación de los militares más caguetas del mundo.

—Los Estados Unidos, para dar salida a su producción armamentística arrasan un país y luego le conceden una subvención a un módico interés para su reconstrucción. Esto último es lo que nos dice la prensa internacional en manos de sus cómplices.

—En fin; volvamos a la crónica de mi vida. En La Chacra habría sido plenamente feliz si no me hubiese invadido la nostalgia de mi tierra. La vida campestre con el ganado, los pastizales, los cultivos, los atardeceres en el campo... despertaron en mí la añoranza de Aurín, máxime porque pensaba que no me sería posible regresar. Y es curioso: cuando volví a España hace unos años, al ver cuantas cosas habían cambiado —a mi juicio para peor— tuve miedo de volver a Aurín y encontrármelo echado a perder; que las viejas casonas de piedra hubieran dado paso a rascacielos de hormigón con sus balcones de aluminio y sus paneles de plástico; que la fonda de la Martina fuera ahora una hamburguesería; que las mozas que antaño bailaban la jota vestidas con corpiño, manteleta y basquiña, llevaran ahora pantalones vaqueros y blusas publicitarias contorsionándose con los alaridos de un roquero... En conclusión; que no he vuelto porque prefiero conservar la bonita imagen del pueblecito de mi infancia. Dime, ¿Ha cambiado tanto como temo?

—Yo estuve muchos años sin aparecer por allí. Las gestiones para relanzar la fábrica las hice en Madrid y, al fracasar, el disgusto me quitó las ganas de ir. Hace poco he vuelto por fin. La degeneración no es tan rotunda como temes. Castillo ha progresado poco, lo que quiere decir que no se ha degradado mucho. En España progresar ha significado «yanquizarse»: Estados Unidos nos ha invadido con su Coca-Cola, su whisky, su chicle, su cine... en una palabra, con su vulgaridad y su ramplonería. Ellos intentar cortar el resto de la Humanidad según su patrón; que todos vistamos pantalones vaqueros, comamos hamburguesas y escuchemos el ruido de los rockeros.

—En Iberoamérica tropiezan con cierta prevención.

—Y en algunas comunidades europeas también. Yo creo que los separatismos son la reacción a esa tendencia a la masificación que se empeñan en imponernos los yanquis; se trata de luchar así contra la despersonalización que irroga esa colonización antisocial y contracultural. El resurgir de la sardana, el aurresku, la pandeirada... va dirigido contra el rock; la sidra, la horchata, los granizados son la oposición a la Coca-Cola; el euskera, el catalán, el bable no van contra el castellano sino, subconscientemente, contra el inglés de los yanquis.

—Entonces ¿tú eres partidario de los separatismos?

—Soy partidario de las personalidades regionales pero no veo la necesidad de las independencias. Además; los separatistas recurren fatalmente a la violencia, el terrorismo, la criminalidad, y eso no puede aprobarlo ningún hombre de bien.

—De la fábrica ya me has hablado, ¿y el tren? Ese era otro de los elementos característicos de Aurín.

—Ya no existe. Recuerdo haber oído contar que cuando mi abuelo y otros influyentes del pueblo propusieron la construcción de un ferrocarril de vía estrecha los ecologistas de entonces, que todavía no se llamaban así, protestaron alegando que la vía férrea destruiría el paisaje; y cuando hace años se planteó el levantamiento de la línea para construir una autopista, otros ecologistas protestaron, tanto se había integrado el trencito en su entorno; en la época del Talgo, la vieja cafetera remolcando a duras penas tres vagones de juguete resultaba tan bucólica como una yunta de bueyes tirando de una carreta. Al final, como siempre, triunfó el patrón oro. El mismo interés crematístico que había determinado el nacimiento del tren cuando lo imponía la economía ocasionó su muerte al dejar de ser rentable. Desmontaron los carriles para venderlos, recogieron el balasto, y ya sólo quedan la explanación y los túneles porque los puentes los volaron, no sé por qué. El Hombre si no destruye no se queda satisfecho.

—¿Y tu casa, «Los Enebros»? Era una de las más bonitas del pueblo.

—Abandonada. Ni yo ni mi hermana la hemos habitado después de la guerra. Elena se casó con un alemán y se fue a vivir a Dresde. Salvó la vida milagrosamente cuando el bombardeo en la segunda Guerra Mundial y me escribió una carta en la que relataba los horrores de la destrucción. Aquello fue un Guernica multiplicado por doscientos; pero el mundo solamente habla de Guernica. Ahora Elena vive en la República Federal y yo, como te decía, no volví por Castillo hasta hace unos años.

—Dices que no lo encontraste muy cambiado. ¿Y la gente?

—Pocos quedan ya de nuestros tiempos. Fui a la tienda de la señora Fabiana, que aún seguía existiendo, con ánimo de comprar unas condesicas ¿Recuerdas lo que eran?

—Ya lo creo; unos bollos típicos. El nivel económico de mi familia no nos permitía semejantes lujos; en casa nos daban para desayunar una rebanada de pan con aceite y sal y... gracias. Pero una vez me llevaste una condesica a hurtadillas de tu familia, seguramente la de tu desayuno, y me supo a gloria.

—Bueno; pues entré en la tienda y una chiquita de unos veinte años me miró alelada cuando le pedí condesicas. Al decirle yo que eran unos bollos me ofreció esas magdalenas y esos sobaos que venden en bolsas de plástico. Le dije que no, que lo que yo quería eran las condesicas que hacían ellos, y en éstas asomó por la cortinilla de la trastienda una mujer de nuestra edad:

—Ya sé lo que pide aquí el caballero, pero las condesicas dejamos de hacerlas cuando murió mi madre.

—¿Es usted hija de la señora Fabiana?

Asintió sorprendida de que yo conociera el nombre de la antigua tendera.

—¿Cuál de ellas: Agustina o Miguela?

Me miró perpleja:

—Agustina.

—¿No me reconoces? Gabriel, el de «Los Enebros».

¡Los aspavientos que hizo Agustina!

—¡Ay, madre mía, cuántos años! ¿Y qué le trae a usted por aquí después de tanto tiempo?

—Mujer: llámame de tú ¡tanto como hemos jugado de niños...!

Charlamos de muchas cosas. Me presentó a su hija, la muchacha que me había recibido y que, como temías, llevaba pantalones vaqueros.

—¿Quién es tu marido, Agustina?

—No te acordarás: Mateo; uno que le decíamos Tinín.

—Sí; que tenía una hermana, Pilarica, que murió de consunción.

—Justo. ¡Uy, qué memoria!

—Yo tengo la memoria del anciano; me acuerdo mejor de las cosas de hace cincuenta años que de las cosas de hace cinco.

Hablamos luego de las condesicas.

—Al llegar la República tuvimos que cambiarles el nombre, no fuera que nos apedrearan el escaparate. Las llamamos entonces «mañicas».

—¡Qué barbaridad! Adónde pueden llegar la intolerancia y el resentimiento...

—Después dejamos de fabricarlas. Salían caras de hacer y no podían competir con los productos de las fábricas.

—¡Si eran infinitamente mejores! Esas magdalenas, esas rosquillas, esos sobaos industriales, que para mayor recochineo te venden bajo la etiqueta de «caseros», no saben más que al plástico que los envuelve.

—Pero a la gente le gustan lo mismo que las condesicas y encima les salen más baratas.

—La gente tiene estragado el gusto. Sobre todo, la juventud; comiendo hamburguesas y perritos ya no distinguen más sabores que los de la mostaza y el tomate.

—Así es, Gabriel; son cosas de la vida. A mí mi madre me enseñó a hacer las condesas y, por Navidad hago unas pocas para casa. Pero ahora te haré a ti una docenica.

—Mujer; no te molestes.

—¿Qué molestia? Poco gusto tendré yo en hacértelas.

—¿Quién más conoce la receta? ¿Tu hija?

—¡Quiá! Ella no quiere saber nada.

—¿Y Miguela?

—Pues se le debe haber olvidado. Se casó y ahora vive en Jaca. Cuando yo estire la pata se acabaron las condesicas.

Luego me habló de la gente de Castillo; los de la generación anterior habían muerto casi todos, y algunos de la nuestra.

Los que no, se habían ido del pueblo. Yo no pensaba quedarme pero lo hice esperando las condesicas de Agustina. ¡Cómo las saboree! Eran tan buenas como las de la señora Fabiana.

—Con todo lo que me has contado no sé si volveré por Aurín. Dime: ¿existe la casilla de peones camineros?

—Las cuatro paredes. Se derrumbó la techumbre y el interior es un amasijo de escombros entre zarzas y ortigas.

Gabriel Castro, el que había nacido allí, se quedó pensativo. Tras un rato de silencio alargó el brazo para atrapar el vaso y bebió el resto como si brindara a la memoria del lugar de su infancia.

Capítulo XVIII

FINAL

—Y ya, para finalizar, te contaré lo que me refirió un colega uruguayo a quien conocí en La Chacra. Había sido enviado como corresponsal a Méjico años atrás, a poco de marcharme yo, y allí un exiliado español cuyo nombre por discreción no quiso revelarme le contó confidencialmente la siguiente historia asombrosa:

Una mañana de finales de 1946 se detuvo un automóvil ante la sede del gobierno de la República Española en Méjico ciudad. Un hombre bien portado bajó rápidamente y penetró en el edificio. Subió de dos en dos los peldaños hasta el piso primero y se dirigió a un ujier:

—Quiero ver al secretario; es urgente.

Y sin dar tiempo a que el conserje respondiera, insistió:

—Al secretario o al presidente o a quien sea; es muy importante.

—Están en consejo. ¿Le esperan a usted?

—No; pero cuando les diga mi nombre me recibirán: Antonio Romero.

Y antes de que el ujier se alejara por el pasillo repitió:

—Diga que es muy importante.

Momentos después volvió el ujier e indicó la puerta de un despacho:

—Pase usted.

Romero comenzó a recorrer a zancadas la pieza solitaria para dominar su impaciencia. El secretario no tardó en aparecer.

—Me han dicho que quiere usted verme por un asunto muy urgente.

—Así es.

—Está bien, siéntese; usted dirá.

Romero se quedó contemplándole fijamente, atento al efecto que iban a producir sus palabras:

—Federico García Lorca está en Méjico.

El secretario parpadeó inmovilizado.

—Me parece que no le he entendido bien.

—Me ha entendido usted perfectamente.

EL secretario estudió la expresión de Romero:

—Es una broma —apuntó.

—Para gastarle una broma no le habría hecho salir del consejo.

El secretario se reclinó contra el respaldo del sillón:

—¿De dónde ha sacado usted eso?

—Esta mañana me ha telefoneado mi hermano Manuel desde Veracruz. Federico está allí; acaba de desembarcar. Manuel ha hablado con él.

Tras una pausa el secretario sonrió levemente:

—Su hermano de usted... ¿Está en sus cabales?

—¡Por favor...!

—Compréndalo, Romero. Todos sabemos que Lorca murió fusilado en el 36...

—¿Y cómo lo sabemos? ¿Cómo lo sabe usted? ¿Presenció usted la ejecución? ¿Conoce a alguien que estuviera presente?

—¡Hombre! Si solamente fuéramos a creer lo que hemos visto con nuestros propios ojos...

—Y oído con nuestros propios oídos. Entonces no solamente creeríamos; tendríamos la certeza absoluta. Y ése es el caso de mi hermano: ha visto a Lorca y ha hablado con él.

—¿Y cómo está tan seguro de que no se trata de un impostor o un perturbado?

—Él y Federico se conocen desde la infancia; fueron compañeros de clase en la escuela.

—¿Cuánto tiempo hace desde la última vez que su hermano vio a Lorca?

—Unos veinte años. Al terminar el bachillerato se distanciaron. Digamos que Manuel no compartía ciertas inclinaciones de Federico.

—¡Veinte años! Después de tanto tiempo, ¿cómo puede su hermano estar convencido de hallarse en presencia del propio Lorca? Podría tratarse de un sosias.

—Un sosias puede tener la misma cara, pero no los mismos recuerdos, ni idénticas vivencias. Él y Manuel habrán evocado los días de su infancia y le habrá contado cosas que sólo Federico podía conocer.

El secretario se revolvió inquieto:

—¿Y qué explicación tiene el que haya aparecido ahora?

—Federico escapó al pelotón de fusilamiento y ha permanecido todos estos años escondido en un cortijo de Las Alpujarras. Hace unas semanas se arriesgó a huir pasando a Gibraltar donde embarcó con pasaporte falso en un buque de bandera panameña que acaba de atracar en Veracruz.

Y ante la expresión de incredulidad del secretario, añadió:

—De momento mantiene el incógnito porque sabe que su reaparición va a suscitar muchos recelos; que querrán tenerlo por un impostor, como en el caso de usted. Por eso desea tener un careo con las personas que le trataron en España y están ahora exiliados en Méjico: María Zambrano, Rosa Chacel, Alberti, Salinas, Bacarisse, Bergamín, Cernuda, Altolaguirre, los miembros de «La Barraca»... Cuando todos ellos le identifiquen ¿seguirá usted dudando?

—No son sus palabras lo que pongo en duda, Romero. Pero puede usted estar engañado. Este asunto tiene todo el aire de una impostura ¡Ha habido tantas a lo largo de la Historia!: El pastelero de Madrigal, el zarevich Dimitri, la princesa Anastasia...

—De acuerdo; pero no va usted a rechazar a Federico sin darle la oportunidad de que demuestre su identidad.

El secretario tamborileó nervioso en el brazo del sillón:

—Voy a comentar este asunto con los otros miembros del gabinete. Precisamente estábamos reunidos cuando usted ha venido. Espere un momento.

Transcurrió una hora en la que Romero agotó los cigarrillos de su cajetilla antes de que volviera el secretario. La expresión del político era sombría. Meditó unos momentos antes de hablar:

—Vamos a ver, Romero. Usted plantea una situación extremadamente delicada. Ya sabe cuál es en estos momentos la postura de la ONU respecto del gobierno de Franco; están gestándose represalias y probablemente se produzca una retirada masiva de embajadores y un bloqueo internacional. Ese será el primer paso para que los aliados reinstauren la República en España y podamos volver. En estos momentos la «resurrección» de Lorca no puede ser más inoportuna. Él es nuestro mártir número uno de la Guerra Civil, la víctima del Fascismo más destacada. Su asesinato ha movilizado en contra del franquismo a los intelectuales de todo el mundo. Es el arma propagandística más valiosa que estamos esgrimiendo y si ahora se descubriera que no ha habido tal fusilamiento y que Lorca está en Méjico sano y salvo, la opinión internacional, atizada por la diplomacia franquista, podría dar un giro de ciento ochenta grados. No; no podemos entregarle esa baza a Franco.

El inmóvil silencio con que Romero escuchaba al secretario entrañaba una muda interrogación. EL secretario esperó unos instantes algún comentario.

—¿Entiende usted? —dijo por fin ante el mutismo de Romero.

—Lo que no sé es adónde va ir usted a parar.

El secretario tragó saliva frunciendo el ceño:

—Antes de que se divulgue este asunto, que por lo visto, sólo conocen usted y su hermano vamos a enviar a Veracruz a dos hombres de confianza...

—¿Qué quiere decir «dos hombres de confianza»?

—Luego, en el caso de que hubiera habido alguna filtración, diremos que se trataba de un impostor.

—¿«Se trataba»?

—Federico García Lorca presta un mejor servicio a nuestra causa muerto que vivo.

Romero hundió el mentón en el pecho anonadado.

Esta historia circulé sigilosamente por Méjico a finales de los años 40. ¿Era tan sólo un bulo? Y, en caso contrario, ¿se trataba de un impostor o de Federico García Lorca en persona? ¿Y qué ocurrió con el personaje? Nada más se supo. El hecho es que el cuerpo de García Lorca no ha aparecido nunca; ni en Granada ni en Veracruz.

—Todo es posible en política y entre políticos.

—Así es. Y si entonces no pudo esclarecerse el asunto, ahora, transcurrido tantos años y habiendo desaparecido los protagonistas del suceso, éste quedará ya para siempre como uno de tantos enigmas de la Historia.

—¿Conoceremos alguna vez la verdad de los hechos? «Así se escribe la Historia» es una frase proverbial que reconoce la tendenciosidad de los historiadores, sus falacias y, a fin de cuentas, sus mentiras. Incluso, aunque pretendan actuar de buena fe, su subjetividad acaba imponiéndose a la realidad. En 1945, con la derrota del Eje, la política internacional se lanzó a proclamar su convencimiento de que, vencido el diablo, se inauguraba una era de paz y bonanza en el mundo. Pero ya enton-

[171]

ces ardía la guerra civil en China y sólo en los diez años siguientes estallaron la de Indochina, el conflicto entre la India y Pakistán, en Oriente Medio entre Israel —brazo armado de los Estados Unidos— y los países árabes, la invasión del Tíbet por la China comunista, la guerra de Corea, la del Canal de Suez, y en Argelia, Laos, etc. Pero, habiendo sido derrotado Hitler, lo demás no debía ser otra cosa que escaramuzas; como si dijéramos, competiciones deportivas. No vemos las cosas como son sino como queremos que sean.

—¿Y cómo vemos nuestra guerra?

—Tal vez no estemos capacitados para verla.

Quedaron en silencio, meditando.

—Quizá el balance más desfavorable de la guerra se haya producido en lo cultural; me refiero a la fuga de cerebros de España.

—Pero muchos intelectuales se quedaron o volvieron; Ortega, Marañón, Pidal, Baroja...

—Como Benavente, escribiendo «Aves y Pájaros».

—Quizá fuera el único en rendir pleitesía al régimen. Los otros no tuvieron que hacerlo. Te contaré lo que le pasó a Eugenio d'Ors con Franco. D'Ors vivía en Pamplona cuando Franco fue a visitar la ciudad y uno de sus corifeos, jefe de protocolo o maestro de ceremonias, le dijo a D'Ors que debía acudir a recibir al Jefe del Estado: «Cuando Napoleón estuvo en Weimar —respondió don Eugenio— Goethe no salió a recibirle; fue Napoleón quien acudió a visitarle.» —«Pero usted no es Goethe». —«Ni Franco es Napoleón».

—Se lo puso en bandeja.

Franco dijo una vez que sólo sería responsable ante Dios y ante la Historia. No se buscó muy buenos abogados: la Iglesia y la Mentira. Yo creo que se ha identificado erróneamente la España nacionalista con Franco exagerando la importancia del Caudillo. Para empezar, y en contra de lo que le ha imputado la izquierda para recriminárselo y le ha atribuido la derecha para enaltecerle, Franco no fue quien desencadenara la guerra;

él se subió al tren en la siguiente estación. Y los militares que le reconocieron generalísimo estaban en realidad colocándole como hombre de paja detrás del cual se escudaban. Al mantenerle en la jefatura del Estado siguieron utilizándole como hombre de paja la plutocracia, la Iglesia y ciertos clanes internacionales subterráneos: el pacto Anti-Komintern, por ejemplo. Franco tuvo la suerte de que la Unión Soviética se enfrentara a los judíos. Puede decirse que ha recibido más ayuda de sus enemigos que de sus amigos.

Hubo un momento de silencio.

—Mira: está amaneciendo.

—Ya acabo; sólo me queda contarte mi vuelta a España. En Montevideo conocí al embajador español; fue él quien me dijo: «Castro: la España actual no tiene nada que ver con la de los años 40. El boom turístico ha abierto las puertas a vientos de renovación y la mentalidad oficial es otra muy diferente. Puede usted volver sin miedo. Ya no hay presos políticos y precisamente la Iglesia ha pegado el gran chaquetazo; ahora es —o aparenta ser— la institución más progresista, más revolucionaria y... más antifranquista.»

—A ese respecto puedo yo contarte una anécdota oficiosa que ratifica lo dicho por ese embajador. Un día Franco mantenía una entrevista con no recuerdo qué general quien acusó duramente a la Iglesia de su actitud: «Estos curas nos lo deben todo. Les hemos concedido las mayores prerrogativas. Con nosotros han disfrutado de una situación de privilegio como no habían conocido nunca. Durante años han hecho lo que les ha dado la gana con tu beneplácito sin reservas de ningún tipo. Y ahora nos traicionan poniéndose del lado de nuestros enemigos como siempre ha hecho la Iglesia con España cuando le ha convenido. Habría que sentarles la mano.» Y Franco meneó la cabeza: «¿Sabes lo que te digo? Que en España todo el que ha comido carne de cura se ha envenenado.»

—No andaba descaminado el caudillo. Bien; pues como consecuencia de la conversación con el embajador decidí traer a Celinda a conocer España. Pero no hubo lugar; cayó enferma y lo suyo era incurable. Había sido una buena esposa a quien debo la felicidad más estable que he conocido en mi vida. No habíamos tenido hijos y ya nada me ligaba al Uruguay, solamente la tristeza de mis recuerdos con ella. Mi existencia ha conocido tres etapas: la primera, una lucha áspera llena de sinsabores; la segunda, con Celinda, una felicidad que me hizo reconciliarme con la vida y, después, la mayor amargura al quedarme sin ella. Celinda tenía un hermano y una cuñada que llegaron como buitres disputándome su herencia. Me produjeron tanta repugnancia que, por no verles la cara pleiteando con ellos, renuncié a todo y me vine a España para quedarme aquí. Lo primero que hice fue buscar a Águeda con quien estaba en deuda. Pero no la encontré; en la casa en que había vivido me dijeron que se había mudado hacia años y nadie supo darme sus señas.

—¿Y no intentaste volver a ver a aquella mujer a quien conociste en un pueblo de La Mancha cuando vuestro viaje a Valencia?

—Celinda me había hecho olvidarla. Intenté localizar luego a los amigos; me enteré de que Domínguez y Mendizábal habían muerto; Elizondo no había vuelto de Rusia y Cabrero también desapareció allí. Fajardo y Velasco seguían en Méjico, y Orduña, según he sabido, se trasladó a los Estados Unidos donde montó una empresa que se dedicaba a vender localidades para el Valle de Josafat; la publicidad decía que así podrían reunirse las familias el día del Juicio Final. Creo que ganaba mucho dinero explotando la subnormal credulidad de los yanquis. Tampoco pude encontrar a los compañeros de redacción; al director, como te decía, le fusilaron los tuyos. En cuanto a mi familia, muerta mi hermana, me ha quedado una caterva de sobrinos que nada tienen que ver conmigo; somos unos extraños pertenecientes a mundos diferentes y ellos no quieren saber nada de mí; son muy progres —eso creen— y a mí me ven como un carca.

—Si los viejos no comprendemos a los jóvenes y hemos sido jóvenes, ¿cómo van los jóvenes a comprender a los viejos?

—Pero, ¿qué hay que comprender, Gabriel? Piensa en lo que eran los estudiantes de antes y lo que son los de ahora. Los estudiantes de nuestros tiempos vivían de patrona, malcomiendo y ateridos en una pensión sin calefacción. Iban a la Universidad andando por ahorrarse los céntimos del tranvía, y jamás tenían un duro. Fumaban, cuando podían, una tagarnina apestosa y su única diversión era ir los domingos a un bailongo de criadas y tomarse un chato de vino peleón. Los estudiantes de ahora están en un colegio mayor con todas las comodidades. Van a la universidad en su coche y siempre tienen mil pesetas para tomarse un whisky en un pub. Fuman tabaco rubio americano, si no porros, y se pinchan y esnifan. Estudian menos que protestan y ponen la guinda en la tarta despreciando a los estudiantes de antaño porque eran unos burgueses que llevaban corbata, y ellos son unos progres que van con zapatillas deportivas (más caras que aquellos zapatos nuestros remendados a fuerza de medias suelas).

—Así pasa con todo.

Yo ahora he conseguido un trabajo en línea a lo que me dedicaba en Uruguay: representante de maquinaria agrícola. Y eso es lo que me ha traído ayer a Alcoy para encontrarme con el único amigo que me queda en el mundo.

—Tengo que estar sin falta esta mañana en Alicante; pero volveremos a vernos.

—Y me contarás tu vida.

—No dejaré de hacerlo.

—La mía ha sido, como has oído, la historia de una gran decepción. Quizá el testimonio que he dado de mis antiguos correligionarios haya sido demasiado negativo; pero los buenos no hacen historia. En tiempos, la ceguera del partidismo me impidió ver las sombras de los míos pero después, con la madurez, el fanatismo juvenil se ha transformado en objetividad. Yo, Gabriel, soy un tránsfuga contracorriente; fui un hombre de izquierdas cuando eso era lo inconveniente, y ha derivado hacia la derecha ahora que está mal visto.

—Pues a mí me ha ocurrido lo contrario y no por oportunismo, puedo asegurártelo. Pero no ejerzo la política; no me he rebajado a eso.

—Lo cierto es que las derechas antes y las izquierdas después, todos han asesinado la verdad. ¿Resucitará algún día?

Hubo intercambio de tarjetas y la promesa de volver a reunirse. Pero pasó el tiempo y, un día por otro, ese encuentro no tuvo lugar y no lo tendrá ya. Quizá escriba alguna vez el relato de mi vida —otro gran desengaño— como quedé en contársela a mi homónimo Gabriel Castro.

APÉNDICE

CANCIONES DE GABRIEL CASTRO

POLÍTICAS

Coplas de Panadera (véase cap. XIV)

La Historia

Vinieron los campesinos
que la campiña sembraron
y el monte civilizaron
con posadas y caminos

Vinieron los superiores
que compraron y vendieron
y en poco tiempo se hicieron
dueños, amos y señores

Vinieron los misioneros
que con salmos y oraciones
comieron de los riñones
de los pobres jornaleros

Vinieron los militares
que los campos asolaron

y al campesino expulsaron
de sus tierras y sus lares

Vinieron los eruditos
que los belfos entreabrieron
y de sus bocas salieron
pedos, regüeldos y pitos

Vinieron revoluciones,
vinieron cracias y quías,
vinieron y fueron días
y no vinieron razones

Pasaron mil héroes vanos
Y mil vanas promisiones
Y dejaron mil panteones
Para vivir los gusanos

La Ley de la Gravedad

Cuando pasaba debajo
de una casa con balcón
al sargento Melitón
le cayó encima un gargajo

Furioso ha gritado él:
—«¿Quién ha sido el maricón?»
y al oír su imprecación
se ha asomado un coronel:

—«¿Qué está diciendo, sargento?»
—«A las órdenes de usía,
mi coronel; yo decía
que estoy feliz y contento

pues siendo tanto el calor
de la estación estival
pienso que no viene mal
un poco de agua, señor;

«¿Manda algo, mi coronel?»
—«Nada: puede retirarse.»
Y Melitón, tras cuadrarse,
se volvió para el cuartel

Si hubiera sido al revés,
el usía el escupido,
el final habría sido
muy distinto de lo que es

porque el que no se prohíba
echar un escupitajo
es porque nunca el de abajo
puede escupir al de arriba

LÚGUBRES

El necrófilo

En negro páramo,
triste y desértico,
en noche lóbrega
vi aparecer
ante mis párpados,
de asombro atónitos
el bello espíritu
de una mujer.

Fantasmagórica,
mas sicalíptica,
no me dio pánico
la aparición y dije: «¡Viáticos!
aunque esquelética
este alma errática
es un bombón.»

Su cadavérica
figura lívida
prendió la libido
dentro de mí
y sin escrúpulos
ni más preámbulos
mis ansias lúbricas
le descubrí

Montando en cólera
con voz enfática
—«Mortal diabólico
—me apostrofó—
tus locos ímpetus
son despropósitos
pues ni cartílagos
conservo yo;

sabe que mi óbito
cáusole un sátiro
porque impertérrita
le desdeñé,
y ya que al féretro
llegué sin mácula
mi virgo incólume
conservaré».

Mas yo, vesánico
cual fauno priápico
a ella de súbito
arremetí
y con estrépito
de rotos crótalos
cayó en decúbito
bajo de mí.

Alcé la sábana
que usaba púdica
y encantos íntimos
pude admirar:
mórbidas rótulas,
esbeltos fémures
y tierna sínfisis
que acariciar;

Con manos ávidas
y lengua trémula
los huesos frígidos
calenté yo
y, al fin benévola,
rendida al cohábito:
—«Dáme la píldora»
me suplicó.

En aquel álgido
momento crítico
de un sueño erótico
sentí volver
dando espasmódicos
saltos frenéticos
contra las pértigas
de mi sommier.

Caifás (música de J. Offenbach)

Había en un lugar de la Vega de Pas
un pobre esquilador que llamaban Caifás,
era sastre y barbero además
y su vida era hacer sin cesar ¡Tris, tras!
¡Tris, tras! ¡Tris, tras!
Es la vida que hacía Caifás!

Su casa era un infierno cual no hubo jamás
con suegra, con mujer y cuñada además
que insultaban al pobre Caifás
y él sufría en silencio al hacer ¡Tris, tras!
¡Tris, tras! ¡Tris, tras!
En silencio sufría Caifás!

Pero el pobre infeliz se negó a sufrir más
y una noche fatal en el Valle del Pas
se volvió medio loco quizás
y cogiendo a las tres por detrás... ¡Tris, tras!
¡Tris, tras! ¡Tris, tras!
Le salvaron con este compás
¡Tris, tras! ¡Tris, tras! ¡Tris, tras!
Las tijeras de Caifás!

SATÍRICAS

El tiempo perdido (véase cap. V)

Aleluyas Marianas

Al santuario bendito de Lourdes
ha llegao un autobús de Las Urdes

En él viajan enfervorecidos
cien devotos más otros tullidos

Esperando que al fin la Señora
de sus males les libre sin mora

Hay entre estos orantes benditos
una madre que está dando gritos

A su hijo que es mudo ha llevao
confiando en que vuelva curao

Al final se produce el prodigio
al soltar dos blasfemias el hijo

Y de que es un milagro no hay duda
pues la madre se le ha quedao muda

Seguidillas

Dicen que los gobiernos de las naciones
son necesarios para los hombres;
debe ser cierto
pues no crecen las plantas sin el estiércol

Cuplés

El día que tú te cases
morenita resalada
descubrirá tu marido
que no ha descubierto nada

En la estación de Delicias
dos novios se despedían
y le decía la novia:
«No te vayas todavía»

A Portugal van dos novios
pero hacen rutas distintas;
él ha llegado hasta Braga
y ella se ha quedado en Cintra.

Cuplés de Babilonia (Música de V. Lleó)

En Babilonia los fumadores
suelen tener la mala costumbre
de ir sin cerillas ni encendedores
y así andan siempre pidiendo lumbre.
A todas partes, más precavida,
lleva una vela la babilonia
y si no encuentra quien le dé lumbre
mete la vela en la palmatoria.

¡Ay ba, ay ba, ay babilonio que marea!
¡Ay va, ay va, ay vámonos pronto a Judea!
¡Ay va, ay va, ay vámonos allá!

Una turista y un guía eunuco
en Babilonia fueron paseantes,
ella quería ver los jardines
y se quedó sin ver los colgantes.
Si a esa turista yo le guiara
esos jardines le enseñaría
y luego el templo y el barrio moro
y, finalmente, la judería.

¡Ay ba, ay ba...!

En Babilonia hay una torre
que pretendía llegar al cielo
mas con las lenguas se han confundido
y no ha salido de ras de suelo:
y desde entonces la babilonia
suele decide a su marido:
«Cuando la torre no se levante
usa la lengua como es debido»

¡Ay ba, ay ba...!

Villancicos

En el portal de Belén
la bofia echa a los pastores
para que ocupen su sitio
ministros y senadores

En las aguas del Jordán
la virgen lava pañales
y a limpiar los trapos sucios
aprenden los concejales

En el portal de Belén
una virgen ha parido
eso que muchas quisieran
que se lo hubiesen creído

Peteneras

Dos cosas hay en la vida
que no las puedo creer:
la alegría de los hombres
y el llanto de la mujer.

No es mi valor temerario
y no confío en mi suerte:
es que le tengo más miedo
a la vida que a la muerte.

No quisiera haber nacido,
tampoco quiero morir;
el remedio de mi pena
¿Quién me lo puede decir?

LÍRICAS

Coplas

El mar que mece mi barca
abre navajas de espuma
y tus espuelas de plata
brillan también con la luna.

¡Ay, paloma, paloma mía
el viento quema y el agua fría!

En los surcos de la roca
crecen romero y tomillo;
las palabras de tu boca
se perfuman con suspiros.

¡Ay, paloma, paloma mía.
el viento lleva flores de lima!

Hay una torre en el campo
y una campana en la arena;
si ya no tengo ventura
¿Para qué cantar mis penas?

¡Ay paloma, paloma mía
el viento llora la calle arriba!

El polvo de los caminos
tiene sangre y tiene fuego;
las alas de mi paloma
son de ceniza y de hielo.

¡Ay, paloma, paloma mía!
¿Dónde te fuiste? ¡Malhaya el día!

Ausencias de Dulcinea

En la espesura de un bosque
donde el sol nunca penetra,
allí lloró don Quijote
ausencias de Dulcinea.

En la soledad de un monte
donde ningún rumor suena,
allí lloró don Quijote
ausencias de Dulcinea.

En una estepa desierta.
donde reina eterna noche,
allí lloró Dulcinea.
ausencias de don Quijote.

Serenata (véase cap. VII)